のは、罪の大きさを数値化するものに過ぎず、その金額を犯人とその家族が払えるかどうかは、また別の問題だった。

向こうはそれなりに、俺に対して申し訳ないと思っているようだが、慰謝料を全額払うというのはやはり無理なようだった。一生かかっても払うと言っているようだが、もちろんそんなものを当てにしてはいられない。高額医療費の請求等、博多に住んでいる父や兄夫婦は経済面で尽力してくれたが、正直、自腹を切った金額は少なくないと思う。

族は、同じく俺の高校時代の同級生に母親を殺されている。俺の知り合いに母親
治療のために金まで奪われた。正直、俺は自分が桑原家にとって癌のような存在
父や兄夫婦に合わせる顔がなかった。だからこそ、せめて俺の治療のためにかか
自分で働いて彼らに返したいと思うのだ。

、来るものは拒まずの姿勢で、取材は受け入れた。どこに仕事の種が転がって
ないからだ。しかしそうは言っても、真面目な医療系のルポルタージュの取材
が、宗教がらみは辟易した。誰も彼もが俺の話を聞きに来て、最終的にはあな
のは我々が信奉している○○様のお陰だから、一度説法を聴きに来てください、
そういう連中の集まりに入り込んで、お布施と称して金を巻き上げる新興宗教
に提言しようかとも思ったが、以前ならばいざ知らず、身体も精神も弱ってい

る今、迂闊《うかつ》に近づいたら簡単に取り込まれてしまうような気がして、ためらわれた。

だから、その入江太一という男が俺の元にやって来た時も、またその手合いか、と思って何の期待もしていなかった。それでも彼の話を聞こうと思ったのは、俺を病院の紹介で知ったと言ったからだ。

俺のように長いこと昏睡状態が続いて、回復が見込めない患者は、はっきり言って病院にとってお荷物だ。病床を持て余している病院はどこにもないので、一日も早く転院してくれと急かされる。俺の場合、元妻の聡美の紹介で転院はスムーズに進められたが、そうでない場合は患者の家族が自分たちで病院を探さなければならず大変だろうな、と思う。受け入れてくれる病院がないから在宅介護に切り替えるというケースも多いだろう。俺は一度転院しただけで済んだが、もし何年も昏睡状態が続いたら、それこそ日本中の病院をたらい回しにされただろうな、と思うとぞっとする。

長期間受け入れてくれる介護療養型医療施設などもあるようだが、やはりどこも満床に近い状態で入所にはそれなりのハードルを越えなければならないし、また施設によるが、だいたい月に十五万程度の費用が必要となるという。父の年金と、食品会社に勤めているサラリーマンの兄の給料ではあまりに負担が大き過ぎる。

もしそんなことになったら、いっそ殺して欲しいと思った。そうすれば母を死なせたという悔いや、元妻の聡美への未練とも決別できるのだ。

だが、俺はこうしてまだ生きている。

「府中脳神経外科病院が、私のことをあなたに伝えたんですか？」

と俺は入江太一に訊いた。聡美の紹介によって転院した病院だった。

「はい。そうです」

「ちなみに、どなたがですか？」

「それは勘弁してもらえませんか？　内密にという約束で教えてもらったもので」

普通、病院は患者の情報を部外者に教えたりはしないものだ。だがこの入江は俺のことを知っていた。病院関係者が規則違反をしたのだろう。もちろん憤慨はする。だが強く怒れなかった。ライターの俺とて、普段からあの手この手で関係者の個人情報を入手しているのだから。入江が堂々と俺に会いに来たのは、もし俺が激怒しても、そのような理屈で言い負かせられると踏んだからではないか。

確かに俺は蘇生後脳症から復活した。そのことだけでも大きなニュースだ。だがそれはあくまでも俺の家族や、知人の業界関係者にとって、あるいは医師などが興味深いケースとして学会に発表するような類いのものだ。昏睡状態の患者が自然に回復するのは、全体の五パーセントとも言われていて、珍しいことには変わりはない。しかし世間一般の人々にとってはどうだろう。十年以上の昏睡状態から目覚めたというのならいざ知らず、半年間とは少し中途半端でニュースバリューとしては弱いのではないか。ましてや二十人に一人が自然に回復するような事例なのだから。

俺の元に様々な人間が話を聞きに来たのは、もともと俺が業界関係者だからだ。一からそういう奇跡的な復活を遂げた者を探すより楽だから、取りあえず声をかけておこうという発想なのだろう。実際、再現ドラマにしないかと言ってくるテレビ局の関係者までいた。もちろんこの手の声かけは、手当たり次第に唾をつけておくことが目的で、実際にドラマになるかどうかはまた別の話だ。

宗教関係者にしても、あの手の人々はとにかく信徒を増やす事が目的なのだから、少しでも脈があると見ると擦り寄ってくる。そしてどこで俺のことを知ったのかと訊くと、やはり俺の仕事の人脈を頼っているのだ。宗教関係者に取材をしたのは一度や二度ではない。仕事の選《え》り好みはできないから仕方がないが、取材後にしつこく勧誘されるのには辟易する。今までもずっと俺を信徒にしようとマークしていたのかもしれない。そして昏睡状態からの覚醒というおあつらえ向きの『奇跡』を知った途端に、大挙して俺の元に押し掛けるのだ。

もちろん、放っておけばいい――問題はこの入江太一という男だ。彼は、ライターという俺の仕事とはまったく無関係に俺のことを知ったのだという。

「誰か昏睡状態から目覚めた患者がいたら教えて欲しい、と先方に前々から頼んでいたんですか？」

「あそこは脳神経外科ですから、寝たきりの患者さんは珍しくありません。突然目が覚める患者さんもいるでしょう」

つまり、彼があの病院で昏睡状態から回復した患者を探している時に、偶然俺を見つけたという訳だ。

「しかもあなたはライターさんというではないですか。今までもいろんな事件の記事を書いてきたんでしょう？　あなたにとっても私の申し出は損はないと思いますが」

「私は小説家じゃありません。好きなことを好きなように書ける身分じゃない。依頼がなければ何もできません」

「じゃあ、あなたの方から持ちかければいい。こんな興味深い事件、みんなこぞって記事にしたがりますよ」

「興味深い事件？　私が昏睡状態に陥ったことですか」

秋葉原のマンションの一室が、ちらりと頭を過《よぎ》った。

「いいえ、そうじゃありません。桑原さん、あなたは昏睡状態にあった半年間、何か夢を見ましたか？」

退院後、誰も彼もが俺にそういう質問をした。しなかったのは医者の聡美ぐらいだ。夢は見ていない、と正直に答えると、何故か皆残念そうな顔をする。宗教関係者の場合は、それは三途の川の左岸の光景なんですよなどと言う。夢なんか見ていない、と言っているにもかかわらずだ。誰も彼も俺の言葉になど耳を貸さず、自分の知りたいことにしか興味がないのだ。

「夢なんか見ていませんよ。そりゃ、何か見たかもしれないけど、覚えちゃいない。でも仮に見たとしても、それが何です？　夢は夢です。意味なんかない」

「あなたの場合は普通の夢とは違うんですよ。何せ半年も眠りについていたんですからね」

「あの、私のことよりも、あなたの仰《おつしや》ってる、興味深い事件というのを教えてくれませんか？」

入江は悪びれる様子もなく、分かってます、分かってます、と頷《うなず》きながら言った。

「私の妻も昔、府中の病院に入院していたんですよ。あなたと同じように蘇生後脳症で。入院する一年前に交通事故にあったんですよ。それでずっと意識不明です。親戚連中は安楽死されてやればとか、新しい嫁さんをもらえば、などと好き勝手なことを言いましたが、とんでもない。自発呼吸はできていたから、いつか目覚めると思って大事に大事に看病していたんです。あなたと同じです」

いちいち俺と同じと連呼されるのは面白くなかったが、取りあえず今は黙って話を聞く事にした。

「結構、病院をあちこちたらい回しにされましてね。最後に回されたのがあそこだったんです。あそこで妻は目覚めました」

俺は頷いた。俺は一回転院しただけで済んだが。

「もちろん一年間も昏睡状態にあったわけでしたからね。社会復帰するのはなかなか大変でした。でも懸命にリハビリをして、少なくとも傍目には、一年間も眠っていたとは思えないほど回復することができたんです。今のあなたと同じように」

「その奥さんは、今は？」

「死にました。半年前自殺したんです」

そう入江は何でもないことのように言った。俺は入江の顔を直視した。彼も俺の顔を見つめている。今の言葉を聞いた俺の反応を窺っているように思えてならなかった。

「長いこと昏睡状態にあったから、心が病んだと？」

「それはもちろん、そう言い切ることはできません。でもやはり気になるんです。妻の自殺の原因は、あの病院で治療を受けたからなんじゃないかって」

俺は漸《ようや》く合点がいった。彼は妻の自殺を府中の病院のせいにしたくて、何か異様な治療をされなかったのか妻と似た事例の俺に話を聞きに来たのだ。このような問題は医療施設には必ずと言っていいほどついて回る。聡美に訊けばいくらでも例を挙げてくれるだろう。

「私は、ずっと昏睡状態から目覚めた人を待っていましたから。ようやく一人目覚めました。それがあなたです」

俺は入江に悟られないように、安堵のため息を小さく吐いた。

「残念ですが、それでは因果関係は立証できませんね」

「そうでしょうか」

「ええ。長い昏睡状態から目覚めたことが自殺の一因ではない、とは決して言えません。やはり普通の人とは違う経験ですから。人生観が変わってもおかしくはない。しかしそれは普通自殺の原因と言わないでしょう。少なくとも第三者は納得させられない」

「もっと具体的な理由が必要と？」

「その通りです。あの病院で受けた治療が奥さんを自殺に追いやったという、証拠が必要だと思います。奥さんはお気の毒です。しかし状況証拠すらないのでは――」

「どうして私が、妻と同じようにあの病院で目覚めた患者を探しているか分かりますか？」

そう少し唐突に入江が言った。

俺がライターだったのは、あくまでも偶然だ。だとするならば――。

「その患者が、あなたの奥さんと同じように自殺するのを待つためですか？」

入江は頷かなかったが、内心はどう考えているか分からない。

「残念ですが、私は自殺などしませんよ。せっかく生き延びたんですからね」

「妻もそうでした。私と一緒にリハビリを頑張り、目覚めたことを心から喜んでいました。それなのに、妻は自ら命を絶ったんです。少なくとも私には妻の自殺の原因に思い当たりません。あの病院で治療を受けたからとしか思えないじゃないですか」

妻が一年間の昏睡状態から目覚めた、という出来事があったから、自殺の原因を病院のせいにしているだけだ。気持ちはよく分かるが、そんなことにいちいちつき合ってはいられない。中年の女性が、何の理由もなく命を絶った。これだけでは読者から金を取って読ませる記事にはならない。

「私は自殺などしませんよ」

念を押すように、もう一度言った。

「そうでしょうか。人間、いくらでも心変わりしますよ」

「それは冗談で仰ってるのですか？」

その質問に、入江は答えなかった。

「せめてあの病院で昏睡から目覚めて自殺した患者が三人――いや、二人でもいい。複数いれば、因果関係の疑いがかけられますが、あなたの奥さん一人だけじゃ、どうにもできませんよ」

「四人です」

「はい？」

「妻で四人目です。妻の前に三人、死んでいるんです」

「でもあなたさっき――」

俺は口をつぐんだ。彼はずっと昏睡状態から目覚めた人を待っていた、と言ったのだ。それが俺だと。だがよくよく考えれば、妻が死んで入江がこの件を調べ始める以前にも、同じように自殺していた患者がいた可能性は、当然ある訳だ。

「これは偶然でしょうか？」

俺は暫く黙った。正直、好奇心よりも不快な気持ちが先に立った。俺と同じような状態から奇跡的に目覚めた後、自殺した患者が四人もいる。なら、お前も自殺するべきだ――そう入江が言っているように思えてならなかったからだ。

そして、俺のライターという職業は、もちろんこの出来事を世間に広めるためには有効かもしれないが、入江にとっては本質的なものではまるでなかったのだ。俺がどんな職業の人間でも、入江は会いに来ただろうから。

「で、あなたは私にどうしろと？」

入江は飄々《ひょうひょう》として、何を考えているのか分からない、油断のならない初老の男という印象だが、この瞬間ばかりは、今日一番の真剣な表情になった。

「昏睡状態であの病院に運ばれてきて回復した者は、その後皆自殺しています。あなただけなんです。生きている患者は。だからあなたにどうして欲しいのか、正直言って私にも分かりません。でもあなたはライターと言うじゃないですか。このことを調べて記事にして――いいえ、そんなことはどうでもいいんです。確かに妻の敵は討ちたいですが、それはただの私怨に過ぎません。ただ銀次郎さんには、どうか今後、自ら命を絶たないように、注意深く生きていて欲しいんです」

初対面なのに馴れ馴れしくファーストネームを呼ばれたことに、今更不快感はなかった。俺は下の名前の方が印象的だから、こういうことはよくある。

俺はコーヒーを一口飲んで喉を潤してから、入江に言った。

「私が主に書いている週刊標榜は保守系の週刊誌です。この手の話題は取り上げてくれないでしょう。でも載せてくれそうな雑誌をいくつか知っています。そこにこの話を持っていくことはできるでしょう」

「そうですか」

入江は少し明るい顔になった。

「でもその前に、この事件について——あくまでも入江さんが事件と仰っているだけですが、私の意見をお伝えしようと思います」

「何でしょう？」

「入江さんは『暗い日曜日』というシャンソンをご存じですか？」

入江は、ぽかんとした顔で首を横に振った。

「自殺者が多く出たことで有名なハンガリーの楽曲です。世界中で何百人もの人々が、この曲を聴いて自ら命を絶ったと言われています——何か似ていませんか？　この曲を聴くと自殺する、この病院に入院すると退院後に自殺する」

「入院するだけでは自殺しません」

「分かってます——言葉の綾です。ちなみに何故『暗い日曜日』を聴くと自殺をしたくなるのか、その理由はまったく分かっていません。歌詞の内容は、恋人を亡くした女性が自殺を決意するというものです。そう言うと正に自殺を誘発するように聞こえますが、実際はどうでしょうか。現実問題、未だに『暗い日曜日』と自殺との間に因果関係があるのか否かは分かっていないんです」

「でも、その曲は自殺を誘発する曲として有名なんでしょう？」

俺は頷いた。

「そう、そこです――。これは仮説ですが、多分『暗い日曜日』が自殺の曲となったのは偶然みたいなものなんじゃないでしょうか」

「偶然？」

「そう。最初に、何かのきっかけで『暗い日曜日』が原因とされた自殺が起こった。その自殺がどういったものなのか、何故原因とされたのか、今から調べることは難しいでしょう。何しろ一九三〇年代の出来事ですからね。でも想像することはできます」

「何でしょう？」

府中の病院の一件と関連性があると感じたのか、入江は身を乗り出すようにして俺の話を聞いている。

「最初の自殺者が出た時点で、何かその自殺と『暗い日曜日』とを関連付ける出来事があったんでしょう。何でもいいんです。たとえば自殺者が死ぬ前に『暗い日曜日』を口ずさんでいた。もしくは単純に『暗い日曜日』が好きだった。あるいはちょうどその時、世間で『暗い日曜日』が流行っていた――」

「最後のは自殺とはまったく関係がないでしょう」

と入江は言った。

「はい、そうです」

と俺は答えた。

「自殺者は毎年必ず一定数います。これはお分かりですね。当時のハンガリーはナチスドイツに占領されて共闘を余儀なくされました。その時代の人々の考えている事を今の価値観で推し量るのは危険ですが、厭世気分も少なからずあったのではないでしょうか。それに当時は今と違って、人々が聴ける音楽はかなり限られていたでしょう。少なくとも世界中の音楽を聴きたい時に聴ける今のような時代ではなかったはずです。その時代にたまたま起きた自殺と、その時代にたまたま流行っていた曲に、人々が関連性を見出すのはありえる話だと思います」

「――つまり『暗い日曜日』と自殺とは、まったく何の関係もないと？」

「少なくとも当初は。しかしそのうち『暗い日曜日』を聴くと自殺するという根も葉もない噂が人々の間に流布します――その時点で噂は噂ではなくなります。ことに自殺の場合は」

まだ入江はピンときていないようだったので、俺は畳みかけるように言った。

「世界保健機関――WHOでは自殺報道に対するガイドラインを定めています。代表的なところを挙げますと、扇情的に自殺の報道をしない、トップニュースにしたり、何度も報道したりしない、自殺の方法について詳しく報道しない、有名人の自殺報道は慎重に――こんなところでしょうか」

「え？　じゃあ今回のことは、どんなに頑張っても記事にはできないと？」

「いえ、そうは言っていません。それはあくまでもガイドラインに過ぎず、法的効力はもちろんありません。現実問題、自殺の報道は頻繁にされていますし、有名人が自殺などしたら、どんなに慎重に扱ったところで、報道が扇情的になるのは免れないでしょう。極論を言えば、報道も商売ですから。より多くの人が読んだり、観たりすることを目指します。だからこそ、マスコミは面白い事件の記事を探しているんです。今回のことも、マスコミが飛びつくような記事になる可能性は、少なからずあると思いますよ」

「じゃあ、なんでそんなことを――」

入江は、まだ俺が言いたい事が分からないようだった。

「問題はなぜWHOがそのようなガイドラインを定めたのか、ということです。お分かりになりませんか？　自殺は連鎖するからなんです。自殺した人の身辺を調べると、家族、親戚、友人など、極めて近しい人間に自殺者がいるケースが多いと言います。確かに、自分で自分の人生を終わらせる自殺という手段は、誰もが選択肢の一つとして心の中に留め置いていると思います。景気の悪い世の中ですから、最悪生きていけなくなったら自殺でもすればいい、その程度のニヒリズムは誰もが持っているんじゃないでしょうか。でも多くの人は自殺はしない。自殺者は年間三万人近くいると言われていますが、日本国民の総数から言えば、やはり少数派でしょう。問題は、自殺する人と、しない人の差です」

「妻のことを――仰ってるんですか？」

「奥さんのことも含めてです。もう一度言います。自殺は連鎖するんです。『暗い日曜日』にしても、聴くと自殺するというレッテルを一度貼られてしまったが最後、自殺を誘発する曲として後世に残ってしまいました。つまり身近に自殺者がいる場合も、過剰な自殺報道も、『暗い日曜日』もそれ自体に自殺を誘発する科学的根拠はありません。あるとしたら心理学です。つまり暗示です」

「暗示？」

俺は頷いた。

「私は先ほど、自殺などしません、と言いましたね？　それは今のところそのような意思はない、という意味です。十年先、二十年先にどうなるのかは分かりません。仕事がなくなって、自殺しようと考えるかもしれません。もちろん自殺などせず、何とか生きてゆく手段を考えようと思うかもしれない――そう願いたいですが。でもその時、ふとあなたのことを思い出したとしたら？　そう言えば、府中の病院で昏睡状態から目覚めた患者が自殺をしたという事件があったなあ――と。もしかしたら、それで私は自分が自殺するのは決まっていた運命なんだと思ってしまうかもしれない。そして本当に自殺してしまうかもしれない。あなたに会っていなかったら、私は多分、自殺などせず生涯を終えられたかもしれないのに」

そう言って、俺はコーヒーを啜るようにして飲んだ。

暫《しばら》く、俺も入江も無言だった。

先に口を開いたのは入江の方だった。

「銀次郎さんの仰ることは一理あると思います。それが世間一般的に考えて、常識的な判断なんでしょう。でもやはり、私の妻はあの病院の治療のせいで自殺したと思いたいんです」

思いたい、と入江は言った。それがすべてだと俺は思ったが、取りあえず彼の話したいことはすべて聞こう。それくらいの時間はある。

「実は今の私の話は、全体の半分なんです」

「半分？」

「ええ。でもさすがにこの話をしたら、銀次郎さんに荒唐無稽だと笑われると思ったので、最後に話そうと思ったんです。でもそのおかげで銀次郎さんから暗示について興味深い話を伺えたので良かったです。もしかしたら、それが事件の真相に関連しているのかもしれません。学のない私にだって分かっているんです。死んだ人間の魂が、昏睡状態の患者に乗り移るなんてことは」

そう言って、入江は窺うように俺の顔を見た。

「別に荒唐無稽とは思いませんね」

と俺は言った。生まれ変わり、幽体離脱、よくある話だ。

「そうですか⁉」

「いえ、ライターという仕事を抜きにして、一社会人として考えれば、確かに荒唐無稽だとは思いますよ。でも、そういう記事を喜んで載せてくれる雑誌はありますから。変に理性が入ってしまうと文章に滲み出てしまうので、そういう記事を書く時はできるだけオカルト的なものでも信じるようにしているんです。その方が読者が喜ぶ」

「銀次郎さん。私は別に宗教団体の回し者じゃないんです。普段は非科学的なことも信じません。でも妻の身に起きたことは納得できないんです。だからあなたに会いに来たんです。もし何かトリックがあるなら、解明するためにお知恵を拝借したいと思って」

「解明なんてとんでもない。私はただのライターです。多くの場合、私の個人的な意見など必要とはされません。死んだ人間の魂が乗り移るとは、転生のようなものですか？　皆がそういう記事を読みたがるのであれば、私はそれに則《のっと》った記事を書くだけです」

「そんなこと仰らないでください。これは銀次郎さんに関係ない話じゃないんです。次に何か起こるとしたら、あなたの身にです」

俺は苦笑しながら、暗示で自殺してしまったなんて味も素っ気もない結論よりも、幽霊が自殺させていたというオカルトものの方が、まだ記事としては面白いだろう、と早くも皮算用を始めていた。やはりこうしてわざわざ話を聞いているのだから、金になった方が良い。その内容が現実的かどうかはまた別問題だ。ましてや超常現象の合理的解明なんて、まったく俺の仕事ではない。

入江は話を続ける。

「ある日、妻がおかしなことを言い出したんです。ねえ、あなた。海の近くに立っている松の木って知ってる？　って。毎晩のように繰り返し夢に見るんだそうです。あまりにも見過ぎるから、昔、旅行で行ったかもしれないって。確かに新婚旅行は熱海でしたが、松の木の思い出なんて、私にはありません」

俺はおもむろに、

「自殺した患者さんのことを奥さんに話しましたか？」

と訊いた。入江は、

「はい」

とそれがまったく何でもないことのように答えた。

「奥さんが松の木の夢を見たのは、患者さんのことを話した後ですか？　前ですか？」

入江は暫く考え込むような素振りを見せた。

「ええと、そうですね、あれは――そう！　前です！　だって退院して一ヶ月後ぐらいだったから！」

「そうですか」

嘘をついているとは言わない。だが、入江が責任逃れをするために記憶を都合良く操作している可能性は、もちろん視野に入れなければならない。もっとも、松の木がどうとかいう話が自殺の暗示になるとは到底思えないが。

「でも海岸に立っている松の木というのは、よくあるイメージですね。有名な文学作品にもあるくらいです」

「『金色夜叉』でしょう？　分かります。でも妻は小説なんてほとんど読まないんです。そんな昔の文学作品なんてとんでもない」

自分には妻の知らない側面などないと言わんばかりの口ぶりだった。傲慢な夫の意見だと思ったが、少なくとも俺よりも入江の方が彼の妻をよく知っているのは事実だ。

「別にその本でイメージしたとは言いませんよ。ただ、そういう映画なり、ドラマなり、あるいはテレビの旅番組等で松の木を見たのかもしれない。それで繰り返し夢に見るというのは、頻繁にあることではないかもしれませんが、珍しくはないでしょう。少なくとも海岸の松の木の近くに住んでいた人間の生まれ変わりという理屈は成立しません」

　さすがに入江も、俺のその意見には少しだけ不服そうな顔をした。

「仰いましたよね。トリックがあるなら解明したいと。別に私はあなたの話の揚げ足取りをしているんじゃない。一つ一つの要素をこうやって潰していこうというんです」

「銀次郎さん。この夢を見ているのが妻だけならそういう意見も成立するかもしれません。でもそうじゃないんです」

「自殺した全員が同じ夢を見ていると？」

　入江は頷いた。

「単に全員が自殺したというだけなら、先ほどの暗示ということで説明がつきますけど、夢はそう簡単にはいかないでしょう」

　確かにそれは不可思議だが、自殺の衝動も、夢も、極めて個人のメンタルの問題だ。他人の夢の話を聞いたから自分も同じ夢を見ることもあるかもしれない。入江の妻にかんしては話を聞く前に夢を見たと言うが——とにかくどうであれ、もう少し入江の話を聞いてから判断しよう。

「——そうですね。お話を続けてください。最後まで聞いてから、私の意見を述べたいと思います」

入江は頷いて話を再開させた。

「やがて妻はこそこそと誰かと会うようになりました。やはり長年連れ添った夫婦ですから、そこのところは分かるんです。私は浮気を疑いました。おかしなもんです。あんな萎れた婆さんと恋仲になる男がいるはずもないのに」

そう言って入江はおかしそうに笑った。俺は全然笑えなかった。

「でもそういう時、男っていうのは冷静さを失うもんだから、あらゆることを想像するんです。それこそ妻の浮気なんていうありえない事態まで。とにかく私は妻をひっつかまえて、いったい誰と会っているんだと問い質《ただ》しました。妻はなかなか答えませんでした。その態度も、ますます私に浮気を疑わせました。正直言って、浮気の方がまだマシでした。自殺まではしなかったでしょうから」

「いったい、どなたと会っていたんですか？」

「それが女性だったんです。私は拍子抜けして、だったらもっと堂々と会えばいいじゃないか、と妻に言いました。それで妻もようやく私に打ち明けました。あの病院で昏睡状態でいる時に、私に、他人の心が乗り移ってしまったみたいだと」

「海岸の松の木というのは、その他人の記憶ということですか？」

「はい。本人はそう言っています」

「でも普通、ちょっと身に覚えのない記憶がふと蘇ったぐらいで、他人の心が乗り移るなんて、大人は言い出さないと思いますが。その会っていた女性の影響なんですか？」

入江は頷いた。

「その女性の旦那さんも、あの病院で昏睡状態にあったそうです。そして覚えのない海岸の松の木を思い出し、自殺したと」

俺は一時黙った。

つまり入江が俺に会いに来たのと同じことが、入江の妻の身にも起こったというわけだ。

「あの病院の患者で、自ら命を絶たれたのは四人と、先ほど仰いましたね？」

「はい」

「もちろん、これはきちんと調べなければなりませんが、なにしろ脳神経外科ですから、昏睡状態の患者を今まで沢山扱ってきたでしょう。その中で回復した患者がたった四人とは考えられない。少なくとも、その四人以外は自ら命を絶たずに、ちゃんと生きている訳ですから、やはりあの病院のせいで奥さんが亡くなられたというのは、少し飛躍していると思います。むしろ、入江さんはその松の木の記憶の方を重要視されているんじゃないですか？」

「銀次郎さん。私だって、魂だとか幽霊だなんて信じちゃいません。他人の心が乗り移るなんてあるはずがない。多分、銀次郎さんが言うところの暗示のせいです。そんな暗示をかけられるのは、状況からしてあの病院しかないじゃないですか」

なるほど、道理にかなっている。俺は知らず知らずのうちに、面白い記事が書けるからと、霊魂説に与《くみ》していたのかもしれない。

「病院が患者に暗示をかけるとは、大げさに言えば人体実験のようなものですかね。でも何故、その四人が選ばれたのでしょう？」

「それは分かりません。でも、最初の一人が重要だと思います」

そう言って、入江はメモ帳を取り出した。なにやらぎっしりと書いてある。

「その最初の一人は、知里《ちり》アシという女性です。霊能力者として有名だったようですね。でも、インチキだと糾弾されて、住民からリンチを受けたようです。それで心を痛めた彼女は、海岸近くの松の木で首を吊って自ら命を絶った」

「あの、ちょっと待ってください。入江さんはそういう情報をどこで知ったのですか？」

ライターの俺に記事にして欲しいと言いながらも、入江自身もかなりよく情報をつかんでいる。少なくとも一患者の身内が、その病院に入院していた他の患者の過去を調べることなど、難しいのではないか。

彼は言った。

「被害者の会がありますから。銀次郎さんにも入って欲しいぐらいです」

「その自殺された患者さんの遺族の方々の会ですか？」

「そうです」

入江は誇らしいと言わんばかりに頷いた。そんな彼を、俺は少し冷めた目で見ていた。

そもそも、彼の妻に会いに来た女性——夫が自殺したという——が余計なことを言わなければ、彼の妻は自殺などしなかったのではないか。被害者の会など作るから、余計に自殺が続くのではないか。

「差し支えなければ、この一件に関わっている人々をすべて教えていただきたいのですが」

待ってましたと言わんばかりに、入江は俺に一枚の紙切れを差し出した。メモ帳から破ったもののようだった。

そこにはこんなことが書かれていた。

1．知里アシ（妹）　知里精治（兄）
2．芦屋秋宗（息子）　芦屋三郎（父）
3．小坂直人（夫）　小坂恵美（妻）
4．入江和子（妻）　入江太一（夫）

5．桑原銀次郎　？

「これは？」

「名前が二つずつ並んでいますね？　上の名前は昏睡状態から目覚めて自殺した患者さん、あ、銀次郎さんはまだですね。すいません」

まだ、か。悪気はないのだろうが、いちいち腹立たしい。

「後の名前は患者さんの親族で、次の患者さんに相談に行った方の名前です」

つまり入江の妻と会っていたのは小坂恵美という女性か。そして入江が俺に会いに来た。

「知里さんと芦屋さんの間に線が引かれているのは？」

「芦屋さん以降は被害者の会のメンバーです。知里アシと精治は違います」

まるで俺もメンバーの一員のような口ぶりだったが、それよりも知里家の二人を呼び捨てにしたのが気になった。

「1から4までの最初の名前の人は、全員自ら命を絶ったということですか？」

「そうです。最初に自殺した知里アシの魂が患者さんに次々に乗り移って、自殺に追いやっているんです。和子もそうやって死んだんです！」

入江が大きな声を出し、店内の他の客が、ちらりとこちらを見た。

「では被害者の会のメンバーとは、芦屋三郎さんと小坂恵美さん、そして入江さんの三人ということですね？」

「はい。知里精治はとっくに死んでいるので、彼から知里アシの情報を聞き出すことはできません」

「その方はどうして亡くなったのですか？　まさか彼も自殺ではないでしょうね」

「よく分かりませんが、殺されたらしいです」

「殺された？」

その俺の言葉で、またもや店内の客たちがこちらを見る。俺は少し声を小さくした。

「誰にです？」

「それも分かりませんが、いろんな連中から恨まれていたから、別に殺されたのは不思議じゃないんです」

「その知里精治という人は、アシという人のお兄さんということですね？」

「はい。芦屋秋宗さんは三郎さんの息子さんで、事故当時中学生だったのですが、柔道部でのシゴキが原因で脳挫傷を負ったそうです。もちろん非は向こうにあるから賠償金をたっぷり払わせたそうですが、秋宗さんは昏睡状態が長らく続きました。あちこち転院して、あの府中の病院で目覚めたんです。三郎さんの喜びようはよく分かります。私だって妻が目を開けた時、どれだけ嬉しかったことか――」

入江は目に涙を浮かべた。

「秋宗さんが退院して間もなくして、精治が彼の元を訪れたそうです。何て言ったと思います？　あなたの頭の中に妹がいるので、どうか話をさせて欲しい。もちろんすぐさま追い返したそうです。でも、それから秋宗さんが自殺してしまったので、三郎さんは精治に会いに行ってアシの話を聞いたんです」

「つまり、精治さんが芦屋さんの元を訪れた時は、まだ秋宗さんも、三郎さんも、その知里アシなる人物の詳細について、ほとんど知っていなかったということですか？」

「それはどうでしょうか――もちろん芦屋さんも紹介するつもりなので、会った時に直接訊いてみてください。ただ、芦屋さんが精治と真剣に話をする気になったのは、秋宗さんの自殺がきっかけなのは間違いないと思います」

精治の暗示によって秋宗が自殺したと考えるのは難しいのではないか。入江の話を信じるのであれば、精治が芦屋家に接触した時点では、ろくに話も聞いてもらえなかったようだから。ただし、精治と秋宗が三郎に隠れて会っていたとしたら話は別だ。入江の妻と小坂恵美のように。

「それで三郎さんは、知里アシという霊能力者の話を知ったのですね」

入江は頷く。俺はその知里精治という男が殺された事件に引っかかっていた。入江の口ぶりでは、まだ犯人は捕まっていないのだろう。霊能力と言うと眉唾物だが、現実の未解決事件がかかわっているとなると話は別だ。書きかたによっては週刊標榜でも扱える、リアルな実録記事になるかもしれない。

話を聞いた今の段階では、その芦屋三郎が怪しかった。昏睡状態の息子が目覚めて、彼は涙が出るほど嬉しかっただろう。それなのに息子の自殺によって、その喜びは水泡に帰した。暗示を受けたからという考えが三郎にあったのかどうか分からないが、精治が余計なちょっかいを出したせいだ、ぐらいの責任転嫁をしても不思議ではない。

「芦屋三郎さんと小坂恵美さんが連絡を取りあい、知里精治の住まいに押しかけて、彼の死体を発見したんです。安普請のアパートだったそうですよ」

「その、お二人が発見者なんですか？」

「ええ、警察に取り調べを受けて大変だったみたいです」

恐らく小坂恵美にも、芦屋三郎と同じ程度の動機はあるだろう。第一発見者でもあるし、ある程度は疑われても仕方がない。もちろん警察に取り調べられて疑いが晴れたとしたら、二人は精治の殺害犯ではないのかもしれないが。

「芦屋三郎さんと、小坂恵美さんは、どのようにしてお知り合いになったのですか？」

「精治が小坂さんのところにも行ったんです。あなたに妹の霊魂が憑いているから、取り出さないと大変なことになるって。もちろんいきなりそんなことを言ったって誰も信用しません。だから、芦屋さんの話を出したんです。前例があれば説得力が違う。精治は芦屋さんの住所から連絡先まで、すべて小坂さんに教えたそうですよ。疑うなら直接訊いてみればいいって。まったくとんでもない男だ。もっとも、それで被害者の会が結成できたから怪我の功名というやつですけどね」

「ちなみに精治が殺されたのは、小坂直人さんが自殺する――」

「それが前なんですよ。付きまとってくる奴が死んだからもう安心できると思うんですけど、そんな単純な話ではなかったようです。やはり事件の中心が霊魂ですから。精治が生きている時より、直人さんは不安だったかもしれない。それで精神的に追い詰められて、自ら命を絶った――」

「それから芦屋さんと小坂さんは協力して、あなたの奥さんを見つけ出した。同じ女性の方が抵抗がないと思って、小坂さんが奥さんに会いに行った」

入江は何度も何度も頷いた。

考える、どうして小坂は、わざわざ入江に会いに行ったのかと。精治は死んだ。ならそこでこの話はお終いではないか。わざわざ話を引き継ぐ必要はない。

恐らく——芦屋は息子を失い、小坂は夫を失った。どうして自分たちだけが、と考えたに違いない。昏睡状態から目覚めて一時は喜んだだけ尚更だ。二人はこの悲劇を連鎖させたかった。自分たちの苦しみを他人にも与えたかった。だから入江に白羽の矢が立ったのだ。

現にもう精治はいないにもかかわらず、入江の妻は自殺した。芦屋と小坂による暗示は成功したのだ。そう思えてならない。だから今度は入江が芦屋と小坂の役を引き受けた。俺を自殺させるために——。

本当は今すぐ席を立ちたいという気持ちもあるのだ。健康だった頃の俺なら、自分が暗示にかかって自殺などするはずがないと笑って済まされたが、病み上がりの今は大分心が弱っている。こんな話は精神衛生上良くない。だが今はとにかく彼の話を最後まで聞いてみたかった。ちゃんと事件を調べて霊能力者の怨念など関係ないことを確かめたかったのだ。

俺はもう入江の話を聞いてしまった。信じる信じないは関係ない。もう暗示はかけられた。それを振り払うためには、事件に対して自分なりの結論を出すしかない。

「芦屋さんと小坂さんが入江さんを見つけたのは、入江さんが私を見つけたように、病院内の関係者に教えられたからですか？」

「仰る通りです。最初に小坂さんの話を聞いた時はまともに取り合いませんでしたが、彼女の言う通り妻が自殺したから、これは何とかしないと、と思ったんです。それで銀次郎さんの所に来た次第です」

　恐らく妻が自殺した当初は、小坂が余計なことを言ったせいだ、と彼女を責めただろう。入江にとって小坂は予知能力者のようなものだ。彼女の言った通りになったのだから。

　果たして入江は小坂や芦屋を本当に信頼しているのだろうか、とふと考えた。何か入江には入江なりの考えがあるのだろうか。

「つまり最初に知里アシという霊能力者が自殺して、その魂が昏睡状態にあった府中の病院の患者に乗り移ったということですね」

　本当は、乗り移ったという『設定』と言いたかった。

「はい、そうです」

「でも、海辺の松の木で首を吊って自殺したとしたら、何故、あの府中の病院の患者に彼女の霊魂が乗り移ったんでしょうか？」

「あ、言いませんでしたか。精治がすぐに見つけてアシを木から降ろし、何とか命は助かったようですが、心肺停止の時間が長くて脳がやられてしまったんだそうです」

「蘇生後脳症ですか？」

「そう、それです。それでお決まりのたらい回しにあって、最終的にあの病院に落ち着いたそうなんです」

「でもアシは助からなかったんですね？」

「はい」

「安楽死でしょうか？」

「精治は目覚めないまま自然死したと言っていたそうです。まあ、現実問題日本では安楽死は認められていませんから、もし何らかの方法で精治、あるいは主治医がアシの命を絶っても、そうはっきりと自分からは言わないでしょう」

「まあ、そうですね。それにしても精治さんは、どうして芦屋秋宗さんに妹の霊魂が乗り移ったと考えたんでしょうか？」

結局、その考えは正しかったのだ。芦屋秋宗が海岸の松の木を知っていることが、アシの霊魂が乗り移ったことの証明とするのであれば。

入江は一瞬黙って、そして思い切ったように、こう言った。

「アシが死んだと同時に、芦屋さんの息子さんが目覚めたそうなんです。やはり、昏睡状態から目覚めた患者さんが出ると病棟内がバタバタするんで、すぐに気付いたと」

「アシと芦屋秋宗さんは同時期に入院していたんですか？」

「はい」

偶然タイミングが重なっただけとは、精治は考えなかったのだろうか。霊能力者の親族の価値観など分からないが、随分とアバウトな印象だ。

「精治さんは秋宗さんが退院してから会いに行ったそうですね。入院中に会いに行こうとは思わなかったんでしょうか。その方が、何となく会いやすいような気がしますが。何しろずっと病院にいるんだから」

「やはり昏睡状態が長く続いたから、すぐにコミュニケーションを取れるようにはならないと思ったようですよ」

確かに俺もそうだった。

「それに病院じゃ、やはり看護師ががっちりガードしていますから。いくら以前妹が入院していたからといって、部外者には違いありません。病院で会うのは難しかったんじゃないでしょうか。それに衝撃的な話には違いないから、ある程度社会復帰してから話した方が良いと考えたとか」

「じゃあ、秋宗さんの退院後、芦屋家に直接出向いて話をしたってことですね。住所はどこで調べたのかな」

俺は一人つぶやくように言った。

「それは芦屋さんは毎日のように息子さんの見舞いに行っていたから、自宅まで跡をつけるチャンスはいくらでもあったそうなんです」

「なるほど。で、それから精治さんの予想通り、秋宗さんは自ら命を絶ったんですね。ひょっとして、精治さんが次に小坂直人さんに目をつけたのは、秋宗さんの自殺と同時刻に目覚めたからですか？」

「そうです！　いや、さすがですね」

大げさに入江は言ったが、この話の流れなら誰だってそう考えるだろう。

「でも、どうして精治さんは秋宗さんが自殺した時刻を知っていたんでしょう？」

「それは秋宗さんが亡くなった後、三郎さんが、精治の元に押し掛けに行ったからですよ。当然ですよね。お前が余計なことを言ったから、秋宗は死んだって。手も出たらしいですよ。でも精治も警察沙汰にしなかっただけ、罪悪感があったようですね。その時、秋宗さんの自殺の時刻も話題に出たんでしょう。別に正確でなくてもいいんです。大体の時間で。あの病院は脳神経外科だから、寝たきりの患者は沢山いるでしょう。でも、その患者が急に目覚めることは、もちろんあるでしょうが、頻繁にあるとは思えません。小坂直人さんを探すことは難しくなかったと思いますよ」

「でも、そうは言っても、今度ばかりは精治さんは病院とはまったく無関係です。芦屋秋宗さんの場合は、彼が意識を取り戻した時に病院にいましたが——やはり病院の内部に協力者がいたんじゃないんですか？」

「まあ、多分そうなんでしょう。私だって、銀次郎さんを探すのに、ある程度かかりましたからね。芦屋さんは精治の動向に注視していたんだそうです。芦屋さん、息子さんが自殺じゃなくて精治に自殺に見せかけられて殺されたとすら思っていたようですよ。精治を刑務所に送り込む証拠を探していたようですね。それで彼が、今度は小坂さんに付きまとっていることを突き止めた。それで小坂さんの奥さんと一緒に精治の家に乗り込んで――」

「精治の他殺死体を発見した」

と俺は入江の言葉を引き継いだ。

「そうなんです。インターホンを押しても応答がない。鍵がかかっていなかったので恐る恐るドアを開けると、精治が倒れているのが見えた。死んでいるのは一目瞭然だったようです。血まみれでしたから」

そう入江は、まるで見てきたように言った。

「物取りの犯行ではなく、怨恨だと警察は判断しました。部屋が荒らされていた形跡はなかったからです。もちろん芦屋さんと小坂さんも疑われましたが、死亡推定時刻にアリバイがあったことで、すぐに捜査対象から外されました」

「アリバイ?」

「はい。精治は前日の夜に殺されたのですが、その時、芦屋さんは飲み仲間と映画を観に行って、小坂さんは高校時代の友人と久しぶりに会って食事をしたそうです」

何となく、とってつけたようなアリバイであることは否めない。時刻は夜だ。大抵の場合、家族と家にいるのではないか。だが家族ではアリバイは証明できない。だからわざわざ小坂は病み上がりの夫を放っておいて友人と会った。芦屋にせよ映画館のスタッフ等をアリバイの証人に仕立てる意図があったのではないか。

つまり二人とも、その時刻に精治が殺されるのを知っていたのではないか？

「精治さんは一人暮らしでしたか？」

「そのようですね」

一人暮らしだと発見が遅れる可能性がある。死亡推定時刻の幅が広がるとせっかく作ったアリバイが無駄になってしまうかもしれない。だから、芦屋と小坂は精治を訪ねた。彼の死体を発見して警察に通報するためだ。

――そう考えるのは、あまりにも穿《うが》った見方だろうか。

「結局、犯人は捕まらなかったんですか？」

「ええ。もちろん捜査自体は引き続き行われているんでしょうが、捜査本部は解散したようです。彼の妹のアシはさっきから申している通り霊能力者で、いろんな人々から気味悪がられていたようです。トラブルになったのも一度や二度じゃない。だからそのせいで心を病んで自殺した。兄妹《きょうだい》を恨んでいる人は山のようにいますからね。疑いが分散されたって訳です。それでなくともアリバイがあるんですからね。殺せるはずがない」

「入江さんのアリバイは？」

「はい？」

入江は目をむいた。

「おかしなことを仰いますね。その時、私はまだ芦屋さんとも小坂さんとも会っちゃいなかったんですよ？　私はまったく関係のないことだ」

「ああ。そうでしたね。関係者が入り組んでいるので誤解してしまったようです」

と俺は言ったが、もちろん本心ではなかった。その時点で、彼が芦屋や小坂と結託している可能性は十分あるのだ。

入江は超常現象のトリックを暴いてくれ、などと言うが、最も簡単な答えは、すべてが入江のでっち上げの話、というものだろう。もちろん芦屋や小坂という人物、知里アシという霊能力者は実在しているし、その兄の精治の殺人事件も実際に起きたことかもしれない。だがこの入江太一という男の言っていることを無条件に信じるほど、俺はお人好しではない。

入江は少し気分を害したようだが——この程度のことで腹を立てるのが、やはり怪しくもある——話を続けた。

「これで変な男に付きまとわれなくなって一安心した、という訳にはもちろんいきません。病死や自然死だったらともかく、殺人ですから。しかも犯人はまだ捕まっていないし、精治は自分の家族に彼の妹の魂が乗り移っていると宣《のたま》っている。精治がどんな理由で殺されたのか分かりませんが、芦屋さんや小坂さんは自分たちも命を狙われても不思議ではないと脅えたそうです。特に小坂さんの脅えは酷いものでした。もちろん魂が乗り移るなど、荒唐無稽な話を信じているわけではありません。でも精治が信じているように、精治を殺した犯人も信じていたらどうでしょう？　もし彼が次に妹の知里アシを狙ったとしたら？　確かに彼女は死んでいます。でも彼らの理屈によれば、彼女の魂を持った人間は生きているんです」

「小坂直人さんのことですね」

「そうです。科学的常識が通用する相手とは思えません。小坂さんは、今に精治を殺した犯人が夫を襲いに来るのではと、気が気ではなかったそうです」

「当然、その事件のことは、小坂直人さんの耳にも入ったでしょうね――」

そうつぶやいて、俺はコーヒーを啜った。

考えようによっては、小坂直人の自殺の原因は、芦屋秋宗のそれよりも明白だ。殺人者に命を狙われているかもしれないのだ。刃物で刺し殺されるぐらいなら、苦痛の少ない首つり自殺で人生を終わらせようと考えても不思議ではないのではないか。もちろん自殺の理由がそれだけとは言わない。芦屋秋宗も自殺しているという暗示が影響していることもあるだろう。長い昏睡から目覚めたというカタルシスで、その手のオカルトを信じやすい精神状態にあったのかもしれない。

「小坂直人さんは、お仕事は何をされていたんですか？」

「サラリーマンでバリバリ働いていたようですよ。でもそれがいけなかったようですね。脳溢血で倒れて、そのまま昏睡状態です。芦屋さんの息子さんや、私の妻や、それに銀次郎さんのようにはっきりとした原因が分からないだけ、余計に恐ろしいです」

「もちろん目が覚めたからといって、そのまますぐに職場に復帰できたわけではないんでしょうね――」

「そうですね。昏睡状態は六ヶ月間だったと言いますが、そのまま社会復帰という訳にはもちろんいきません。半年ほどリハビリが続き、ようやく自由になった身体で、直人さんは自ら首を吊ったんです」

俺のような自営業はともかく、サラリーマンにとって一年間のブランクは大きいだろう。以前のように身体が動くようになるという保証はないし、今後収入が激減するのは避けられない。そこに来て知里アシや精治の一件だ。精治を殺した犯人は気になるが、やはりこの一件は暗示による自殺の連鎖という以外ないのではないか。

「それで、小坂直人さんが自ら命を絶ったのと時を同じくして、入江さんの奥さんが目覚めたんですね」

「そうなんです。その当時は私はただただ嬉しくて、裏にそんな奇っ怪な事件が起こっているだなんて、夢にも思っていませんでした」

「入江さんが私に会いに来ることは、小坂恵美さんも、芦屋三郎さんも、ご存じなんですね？」

「はい、そうです。あんまり大勢で押し掛けると迷惑かと思って。私の妻は銀次郎さんの前だから、順番的に私が来た方がいいと思ったんです。もちろん信じてもらえずに追い返されたら、小坂さんと芦屋さんも連れて後日また訪ねるつもりでいましたし、そうでなくても、いずれ銀次郎さんにも二人を紹介しなければと考えています」

入江和子は俺の前、か。

入江は間違いなく、俺も自殺して欲しいと思っているのだろう。そうでなければ、自分の妻が知里アシの幽霊に取り憑かれて死んだという前提が成立しない恐れがあるからだ。少なくとも、俺も死んだ方が、より彼の妻の自殺の原因に信憑性が増すのは間違いないだろう。

超常現象もオカルトも、人の心が作り出すものだ。そう思えてならない。

入江の話は取りあえず一段落ついたようだった。俺は腕を組みながら、テーブルの上に置かれた、今回の件で自殺した人々の順番を書いたメモの切れ端を見つめていた。しばらく黙り込んでいたが、入江も気をつかったようで、特に話しかけてはこなかった。

やはり、俺の視線は5に書かれた人名に釘付けになる。

桑原銀次郎　？

入江は俺もパターン通り自殺するのを望んでいるのだろう。そんなことにはならない、と言い切ることはできない。しかしどうであれ、この奇妙な自殺の連鎖は俺で止まる。何故なら、独身の俺には家庭がないからだ。この話を次に伝える人間は存在しない。もちろん父や兄を含めれば話は別だが。

「知里アシという名前は、少し古めかしいですね。年配の方だったんでしょうか？」

「それほどでもなかったようです。五十歳と言っていたかな――」

兄は精治という、取り立てて珍しくない名前だから、余計に年配者だと思ったのだ。女性の老人にカタカナの名前が多いのは、昔は男尊女卑が当たり前の時代だから、女に漢字の名前をつけるまでもないという酷い理由でだ、と聞いたことがある。

「こういう話を好きな編集部を二、三知っています。声をかけてみますよ」

「そうですか！」

入江は嬉しそうに叫ぶ。

「ただし条件があります」

「条件？」

「先ほど私は自殺しないと言いましたが、万が一、仮に私が自殺しても、あの府中の病院に出かけて、私の死亡推定時刻に死んだ患者を探すなんて馬鹿な真似はしないでください。そんなことをするから、いつまでも自殺が続くんです」

芦屋と小坂まではまだ仕方がないだろう。だが、精治が死んだ時点で二人はもうこんなことからは縁を切るべきだったのだ。精治を殺した犯人がまだ捕まっていないという不安もあったかもしれない。でも少なくとも小坂直人はともかく、入江の妻は自殺などせずに済んだはずなのだ。小坂が彼女に余計なことを話さなければ。

「分かってます。暗示でしょう？　そんなことはしませんよ。それに私は銀次郎さんが謎を解き明かしてくれると信じていますから」

と急に明るくなったように言ったが、怪しいものだと思う。次の犠牲者を出さないためにも、連鎖をここで止めるしかない。俺が死ななければ、それで事態の収拾はなされるのだ。

お互い、何か進展があったら連絡しあうという約束をして、俺は入江と別れた。

その夜、夢を見た。

海岸に立つ松の木の夢だ。松の枝からゆらゆらと誰かが揺れている。それは知里アシのようでもあり、芦屋の息子のようでもあり、小坂の夫のようでもあり、入江の妻のようでもあった。不思議だ。彼らの顔なんて、俺は一人も知らないのに。だから目を凝らすと、それは紛う事なき俺の死体なのだ。

死んでいるのが俺ならば、それを見ている俺はいったい誰なんだろう？

答えが出ないまま目が覚めた。夢だと分かってホッとしたという気持ちは薄かった。ただただ気分が悪い。

精治の話を聞いたのが悪かった。彼は何者かに刺し殺されたのだという。そんな話は、友人だと思っていた男に刺されて、長い間昏睡状態に陥っていた人間には刺激的過ぎる。自分の身体に刃物が突き刺さる衝撃は今でもはっきりと覚えている。あんな思いはもう二度としたくない。

俺は元妻の聡美に連絡を入れた。医師の聡美にいきなり電話をかけても、まず繋がることはないので、連絡方法は大体メールだ。返事がくるのは数日後、長い時は一週間以上待つこともある。

彼女は都内の病院で働き、それなりに将来を嘱望されていたのだが、訳あって山梨県の総合病院に左遷された。その理由に俺も少なからずかかわっているのだから余計に合わせる顔がなく、彼女も俺を恨んでいるはずなのだが、今回の一件では本当によくしてくれた。俺のためというより、慌てふためいている父や兄や義姉のためだろうと思う。彼らに対しては、聡美は何の恨みもないはずだから、同情して力を貸したのだろう。わざわざ山梨県から、昏睡状態の俺に会いに来たこともあったという。

彼女とよりを戻す自分の姿を想像することがないと言ったら嘘になる。だが、今でさえ彼女に合わせる顔がないのだから、再婚してその後ろめたさが消えるとは思えない。聡美には素直に感謝するが、やはりもう無理なのだろう、俺たちは。

入江の話を簡単に文章にまとめて聡美に送った。ちゃんとした取材なら守秘義務契約を結ぶことがあるが、それを破っても現実問題、法的な罰則を受けることはないだろう。もちろん取材内容をベラベラと言い触らす奴だと思われて、仕事が来なくなる可能性はあるが。何れにせよ、入江の話はまだ契約を結ぶなどという段階ではないし、仮にこの話が流れてもそれほど痛くはなかった。この件を個人的に追ってオカルト雑誌に売り込むよりも、週刊標榜の中田に仕事を回してもらった方が、金儲けとしては効率がいいからだ。

ただ仮に仕事ではなくプライベートだったとしても、俺はきっと入江が持ち込んだ話を追うことになるだろう。仕事かどうかは関係ないのだ。入江は完全に俺の自殺を期待している。そうはいかない。この一連の自殺事件の謎を解いて、俺とはまったく無関係であることを証明しなければならない——そう気負っている時点で、俺も既に暗示にかかってしまっているのかもしれない。

その日の夜、聡美からの連絡が来た。早い返事は期待していなかったので、意外だった。

『メール読んだわ。病み上がり早々、また変な事件に首を突っ込んでいるようね』

「仕方がない。向こうから持ってきたんだ。それに、俺に関係ない話でもないし」

『関係ないわよ』

聡美はあっけないほど簡単にそう言った。

『その入江という人の奥さんが自殺したのと同時期にあなたが昏睡から覚めたから、何なの？　それが関係してるっていうの？　あなたも自殺するの？　そういう意思があるの？』

「立て続けに訊かないでくれ。自殺しようとは——思わないよ。今はまだ」

『確かにあなたは蘇生後脳症で昏睡状態に陥った。普通は、それでお終いよ。もう目覚めることなんてない。でもあなたは目覚めた。脳細胞の数億が死んでいるにもかかわらず。それは奇跡と言えるかもしれない。でもね、脳には現在の科学で分かっていないことが沢山あるの。それを認める事が正しく科学的な態度だわ。あなたは目覚めるべくして目覚めた。決して霊能力者の霊魂が乗り移ったからじゃない』

「俺だって霊魂の存在を信じているわけじゃない。でも暗示によって自殺が続くことだってあるだろ？『暗い日曜日』みたいに」

聡美は笑った。

『そうね。だとしたら霊能力の持ち主は知里アシではなく、兄の精治ね』

「どういうことだ？」

『知里アシがどんな霊能力を持っていたのか、それは分からないの？』

「入江は精治と直接会っていないし、芦屋や小坂にしても、知里兄妹に対する好奇心より、不気味さの方が強かっただろう。彼らのバックボーンをまともに調べることはしなかったそうだ。まあ家族が自殺したり、昏睡状態から目覚めたり、ばたばたと忙《せわ》しい中、一般人にそんなことをしろというのは酷だけど」

『あなたに調べろってことね。五人目の人間が、都合よくライターだったから』

そう言って、聡美は笑った。

「そうは言うけど、ライターって別に調査員じゃないんだぜ」

すると聡美は、

『私の時もそう思っていたの？』

と訊いてきた。俺は黙った。

『私が精治の方が霊能力者と言った理由はね――』

あきらかに聡美は嫌味で言っているだろうに、それをおくびにも出さずに話を続けた。聡美とよりを戻したいという気持ちはゼロではないが、やはり彼女は得体の知れないところがあった。畏怖と言ってもいい。もっともそれが聡美という女で、実際は何も考えていないかもしれないが。

『知里アシが霊能力を持っていると言っているのは、兄の精治だけよ。あなたたちは、知里アシという女性を恐れているようだけど、彼女の実態は何も分かっていないじゃない。いい？　もう死んだ知里アシという妹を、特別な女に仕立ててるのは精治よ。もし彼女に霊能力者としての実態が過去にあったとしたら、きっと兄が妹をプロデュースしていたんでしょうね』

聡美はまるで決めつけるように言ったが、確かに一理ある考えだった。今回の件にかかわっている人間で、知里アシという女を知っている者は一人もいないのだから。

『仮にその精治がストーカーみたいにまとわりついたとしても、彼もとっくに死んでいる。なら話はもうお終いじゃない。何でガタガタ騒ぐのか分からないわ。仕事でそういう記事を書きたいなら勝手に書けばいいじゃない。幽霊なんかにビビるあなたじゃないでしょうに』

そう言われると返す言葉がなかった。だが、一点だけ気になることがある。

「確かに自殺は暗示と考えれば説明がつく。そんなものに影響されて自分も将来自殺するかも、なんて恐れていたらキリがない。それは分かるんだ。でも精治は自殺ではなく殺されている。犯人はまだ捕まっていない」

『それが何？　まさかあなたの前に自殺した人たちは、その犯人に自殺に見せかけて殺されたって言うの？　警察がちゃんと検視をしてるんでしょう？　どんなに誤魔化したって、自殺と他殺の区別ぐらいつくわ』

「いや、そこまでは言わないよ。でも記事に書いてこの事件を世間に広めたら、もしかしたらお礼参りに来られるかも。俺は別にいいんだ。こんな仕事をしているから。でも今までの時のように、また家族の皆に迷惑をかけるようなことにでもなったら嫌だから」

聡美は一時、黙った。そして、言った。

『そんなのは、この仕事を始める時に覚悟していたんじゃない？　皆に迷惑をかけるってことは』

今度は俺が黙る番だった。何故、よりを戻せるはずもない別れた妻とこんな話をしているのだろう、と考えた。早々に話を切り上げて、通話を終えようと思った瞬間、俺を慮《おもんぱか》ったのか、聡美が言った。

『府中の病院について調べて欲しいんじゃないの？　あなたが私に連絡を寄こす時は、そういう件でしかないものね』

「あ、ああ――」

そうだった。俺は入江が持ってきた話を引き受けると決めた筈なのだ。それなのに何故、うじうじと元妻に愚痴を零《こぼ》しているのだろう。

『言っておくけど、あの病院で何か人体実験紛《まが》いのことをやっているって話だけど、それは同じ医療関係者として答えるなら、はっきりノーよ。こんなことは言いたくないけど、亡くなった患者さんの遺族の訴訟問題は、どこの病院も頭を悩ませてる。いちいち取り合っていられないわ。こちらには後ろめたいことは一切ないんだから』

確かに何かにつけて訴訟の問題が持ち上がる今の世の中、入院している患者に対して、患者家族の同意もなく臨床試験を行うとはちょっと考えられない。俺など自分の治療に携わってくれた医療関係者、もちろんあの府中の病院にも感謝しかない。昏睡から目覚めた直後は、どの患者家族も同じ気持ちだったはずだ。確かに聡美の言う通り、言い方は悪いが患者家族の言いがかりと思われても仕方がない側面はあるだろう。

『ねえ、私の考えを言ってもいい？』

「どうぞ」

『知里精治は妹を意のままに操って霊能力者に仕立てていた。妹はそれが苦痛でたまらず、自ら命を絶った。でも精治は転んでも只では起きなかった。死んだ妹が未だに存在していると主張した。霊魂として。死してなお、妹のカリスマ性を保持したかったのね。だから妹の霊が乗り移ったターゲットとして、芦屋秋宗に目をつけた。当時の芦屋秋宗の容体はどんなだったの？　まだ完全に回復していなくてリハビリをしていたんじゃないの？』

「そこのところはいずれ詳しく聞くと思う」

『とにかく芦屋秋宗が自分の容体に不安を感じていたのは事実だと思うわ。調べればそれらしい自殺の動機はいくらでも出てくるでしょうね。程度は分からないけど、脳をやられている時点で以前とまったく同じ身体に戻ることは不可能だから。そこに精治が現れた。彼によって背中を押された芦屋秋宗は本当に自殺してしまった。あなたが言う暗示説ね。後はその繰り返しよ。まさに精治の思う壺。自殺者が続く限り、知里アシは存在することになる』

「精治が殺されたのは？」

『さあ、それは私には分からないわ。多分、この一件とはまったくなんの関係もない理由で命を落としたんでしょうね。芦屋三郎と小坂恵美が共謀して、復讐のために殺したっていうなら奇麗に話は通じるんだけど、アリバイがあるしね』

その時点で、既に入江も芦屋と小坂の仲間だったのではないか？　という推測が再び脳裏を過った。だが現実的な聡美にそれを話すのは止めておこう。何の証拠もない、と一蹴されるだけだ。

『知里アシはもういないわ。それは簡単に証明できるのよ。あなたが生きていさえすればいいんだから』

俺は笑った。

「聡美先生も、暗示説を取るんだな」

と俺は言った。

『悪い？』

「いや、何か医者ならではの、もっと面白い説があるのかと思ったよ」

今度は聡美が笑った。

『まさか私が霊魂説を取るとでも思った？』

「まさか、な」

そう言って俺たちは暫く笑いあった。笑うのを止めたのは、聡美が先だった。

『真面目な話、私の考えはそれだけじゃないの』

「え？」

どういうことだろう。霊魂説は当然否定。だとしたら暗示説を取るしかない。第三の説などありようもないではないか。

『あなたが入江という人から聞いた情報だけでは正確なところは分からないけど、知里アシ以外の自殺した人たちには共通点があるわ。あなたを含めてね』

「俺はまだ自殺してないぞ」

　俺の抗議を無視して聡美は話を続ける。

『芦屋秋宗は急性硬膜下血腫、小坂直人は脳溢血、入江和子は交通事故。話を聞く限りでは、やはり彼女も急性硬膜下血腫かしら？　そしてあなたは蘇生後脳症。こうやって並べるとバラバラで、芦屋秋宗と入江和子以外には共通点はないように思える。でも皆、昏睡に陥ってから目覚めるまで、六ヶ月から一年の間なのよ』

「それって共通点って言えるか？　半年も差があるぞ」

『世の中には十年の昏睡状態から目覚めた人だっているのよ。十分誤差の範囲内よ』

「範囲内、ね」

『銀次郎さん。本気で私に相談するつもりがある？』

　まだ心が通じ合っていた頃の呼び方を、聡美がした。今まで以上に真剣な話をする布石だ、と思った。

「正直言って、雲をつかむような話だから。力を貸してくれるなら助かる」

『自殺した人たちの遺族は、あなたに協力してくれるのね？』

「そりゃ、俺に話を持ってきたぐらいだから」

『カルテ開示を頼めないかしら。もう既にやっているなら話は早いけど』

「カルテ開示？　さあ、どうだろう」

もし昏睡状態のまま死んだとしたら、もしかしたら遺族は医療ミス等を疑ってカルテ開示を申請するかもしれない。だが、今回は退院後の自殺だ。普通、医療ミス等の問題は起こらないだろう。ただ入江がどこまで本気で人体実験云々言っているか分からないが、病院にまったく不信感を抱いていないことはないはずだ。自殺者は全員、あの病院の患者であることは間違いないのだから。

『病院側は渋るかもしれないけど、患者遺族は診療情報を知る権利があるわ。カルテ開示の請求は断れないはず』

「それでカルテを手に入れたらどうするんだ？」

『私に見せて欲しいのよ。このことは特に向こうの病院には黙っていて。セカンドオピニオンを受けるのも患者さんの権利だけど、やっぱり病院側はいい気持ちはしないと思うから』

「それはまあ、頼んでみるけど」

入江は断らないはずだ。彼は俺がこの一件に本腰を入れることを望んでいるのだから。

「でもカルテを見てどうするんだ？　まさか三人の自殺の原因が分かるってわけじゃないんだろう？」

『分かるかもしれないわよ』

と聡美は悪戯《いたずら》っ子のように笑った。

『三人のカルテを照らし合わせて、全員脳の同じ部位に障害を受けていれば、自殺の原因はそのせいだと類推できる』

「脳に自殺にかかわる部分なんて存在するのか？」

『さあ、どうでしょうね。何しろ、脳には現在の科学で分かっていないことが沢山ありますからね』

と聡美がお決まりの台詞を言った。

『直接、自殺に結びつくのかどうか分からないけど、三人とも脳の損傷で判断能力が低下して暗示にかかりやすくなっていたのかもしれない。私はね、三人のカルテとあなたのカルテを照らし合わせてみたいのよ。もし共通点があったとしても、早いうちに対処ができる』

聡美は当然俺のカルテを見ている。治療の状態も逐一把握しているだろう。カルテの管理がどうなっているのか分からないが、もしかしたら控えを取っているのかもしれない。

「共通点がなかったら？」

『その時は、おめでとう。あなたが自殺する恐れはないわ』

もちろん、脳の状態がどうであれ、人は自ら命を絶つだろう。だがもし俺の脳に三人と共通点がなければ、今の聡美の言葉は、良い暗示として俺の精神に作用するに違いない。

入院中は、ほぼ毎日、今日の日付と、ここがどこだか訊かれた。馬鹿馬鹿しいと思っても答えなければならなかった。だが言葉が話せるようになった当初は、そんな簡単な質問にも答えられなかったのだ。それ以外の質問は暗算で百から七を順々に引けだとか、あらかじめ三つの単語を覚えて、後で答えさせるといったものだ。野菜の名前を十個言えなどという、子供相手のようなテストも受けた。うっかり間違えたら、即検査が待っている。

百から七を引くと九十三であるとすぐに答えられなかったり、野菜の名前を立て続けに言えなかったりするだけで、脳に問題があると見なされる。もちろんそれが認知症の有無を判別する、最も手っ取り早い方法だということも分かっている。ただ毎日のように繰り返される質問に辟易してちゃんと答えなかっただけで、ベッドごとCTスキャンの検査室に運ばれるのは本当に勘弁して欲しかった。自分の意識を医療の対象として冷徹に観察されているようで、決して気持ちは良くなかった。

「ありがとうな。聡美――俺によくしてくれて」

『私は医者よ。病人がいたら、自分の出来る範囲の手を尽くすわ。たとえそれが憎い相手でもね』

最後は冗談のつもりだろうと俺は思った。聡美は俺のせいで山梨にいる。再婚も失敗してしまった。俺を憎んでも不思議ではないのだ。だが聡美は友人に刺された俺のために尽力してくれた。そして今も、俺の元に持ち込まれた奇っ怪な事件に協力してくれる。俺のことを憎いと思っているのなら、協力などしないはずではないか。霊能力者の霊魂に取り憑かれようが、自殺をしようが知ったことではないのだから。

聡美にもう一度、礼を言って通話を終えた。そして次に入江の自宅に電話をした。

2

聡美に言われた通りに、俺は入江にカルテ開示の手続きをするように話した。思った通り、入江は一も二もなく承諾した。俺の取材に必要とあれば何でもすると言わんばかりの雰囲気だった。

芦屋や小坂にも声をかけると言っていたが、この手の請求は時間がかかるのが常だ。少なくとも、申し込んだその日にカルテが開示されることはまずないだろう。しかも三人いっぺんにカルテ開示を申し込んだら、医療訴訟を起こされるのかと病院側も警戒するに違いない。

恐らく現時点で府中の病院を訴えても勝ち目はないだろう。マスコミに訴えたところで、まともなジャーナリズムが相手にする事例ではない。俺のような何でも屋のライターがオカルト雑誌に売り込む程度のものだ。だから、心配しないで素直にカルテを開示すればいいですよ、と俺が間に入ろうと思ったが、何だか余計に事態をややこしくしそうな気がして、ためらわれた。

カルテ開示は病院の義務だが、事務処理の手続きが煩雑だとか、担当医がいないだとか、何だかんだと渋って一ヶ月以上かかるのではないか。俺のカルテはもう聡美が控えているだろうし、その間、俺はやるべきことをやらなければならない。

やはり霊魂が乗り移って自殺させたというのは、抽象的過ぎて取っ掛かりが薄い。聡美が言っているように、暗示の一言で片づけられる事例だろう。やはり追うべきなのは府中の病院ではなく、知里兄妹だ。特に兄は殺人事件の被害者だ。そこには必ず殺した犯人がいる。上手く面白い読み物に仕上げ世論を動かすことができれば、週刊標榜でも取り上げてくれるかもしれない。とにかくまず、金を取るに値する記事を書く方が先決だ。

俺は品川のとある出版社に出向いた。一応、学習参考書では一、二を争う大手だが、その一方、何でもやりますとばかりあらゆるジャンルのエンターテインメント誌を多く発行している。週刊標榜のようなゴシップも扱う週刊誌は発行していないので今まで付き合いはなかったが、数年前、あるパーティの席でオカルト系では最も有名な雑誌、アトランティスの編集長と名刺交換をしたのだ。言ってみれば、それだけの間柄。付き合いのないライターが持ち込んだ記事にいきなり誌面を割くのは難しいと思うが、今回の訪問の目的は、オカルト系ライターの人脈を利用させてもらうことにあった。

知里アシをネットで検索してもヒットしなかった。最近のものならまだいいのだが、恐らく知里アシが霊能力者として活動していたのはかなり昔だろう。自称霊能力者など世の中には掃いて捨てるほどいるし、ことマイナーなジャンル、それも極端に古いモノにかんしてはインターネットも当てにはできない。

知里精治は、突然芦屋や小坂の前に現れ、そしてすぐに殺されてしまったという印象だ。知里アシがどんな霊能力の持ち主で、どんな活動をしていたかはほとんど分かっていなかった。だから藁《わら》にもすがる思いでここに来たという訳だ。アトランティスの創刊は一九七〇年代。今も廃刊せずに続いているのだから、やはりこの手のオカルトものは一定の売り上げが見込めるのかもしれない。

編集部と衝立でフロアを区切っているだけ、といった趣の応接間に通された。学生バイトっぽい初々しい女性が、ぎこちなく冷たいお茶を運んでくれた。

編集長の木根は、ぱさついた髪を長髪にした、アトランティスの創刊当時の時代からタイムスリップしてきたヒッピーのような風貌をしていた。俺は彼に、昏睡状態から目覚めてから今日までのことを包み隠さず話した。一応、向こうも同じ業界の人間だから、関係者の実名は伏せておいた。もちろん、知里アシは別だ。

「大変、興味深いですねえ！」

と俺が話し終わると木根はそう大きな声で言った。

「するとなんですか？　銀次郎さんの頭の中に、その知里アシの霊魂が存在していると？」

「まあ、話の流れ的にはそういうことになりますね。ただ私はそれを単純に信じているわけではありません。疑心暗鬼といったところでしょうか。私の前に自殺した三人は、暗示によって自ら命を絶った可能性もあります。今日こちらに伺ったのは、知里アシという霊能力者に心当たりがないかとお尋ねしたいと思ったからです」

木根はにやにやと笑いながら、

「それ、暗示じゃないですよ。知里アシがやったんだ」

などと言った。名刺交換した時は気付かなかったが、自分の得意なジャンルになると饒舌《じょうぜつ》になるタイプのようだ。

「知里アシをご存じなのですか？」

「いや、知りません。でも調べますよ。四十年以上こんなオカルト雑誌をやっていますからね。必ずどっかで引っかかっているはずです。ねえ、銀次郎さん。私たちで知里アシのことを調べますから、この件の記事を書いてくださいよ」

「え――」

あまりに普通に言うので、俺の方が驚いてしまった。

「嫌ですか?」

「あ、いえ。もちろん、そんなことはありません、お仕事をいただけるのは嬉しいです」

そう言って俺は頭を下げた。

「週刊標榜さんのところで書く気だったんでしょう? でもオカルトものは初めてだから、どうにも勝手が分からない。だから私のところに来た。知里アシについてはまかせてください。その代わり、週刊標榜さんには断ってもらえませんか? それが条件です」

そういうことか、と俺は納得した。どうやら業界では桑原銀次郎はフリーランスとは名ばかりの、週刊標榜お抱えライターと思われているらしかった。木根は週刊標榜も俺の記事を欲しがっていると勘違いしたのだ。他人のものを欲しがる人間は、どこの世界にもいる。

「そうですね――まだ向こうで書くとは正式に決まったわけではありません。確かに調べてもらうのだから、お礼を差し上げなければなりませんね」

そう言って俺たちは、にやりと笑いあった。今回は週刊標榜とまったく無関係に動いていると知ったら、木根はどう思うだろう。もちろん、現時点でいちいち本当のことを話す必要はないのだが。

「今この瞬間にも、銀次郎さんの頭の中に、いるんですか？　知里アシが？」

「自覚症状はないですよ。でも、いるかも、と一瞬でも思ってしまったら、いることになるのかも。幽霊と暗示とは同じ意味なのかもしれませんね」

「いや、暗示と幽霊は違いますよ」

「そうですか」

　やはり木根は、幽霊を即物的なもの（凄い表現だ！）として考えているようだった。それから木根は、どこそこの国では何年にこういう名前の霊能力者による、こういう幽体離脱の現象が起こったんですよ、などという話を延々とし始めた。その方面には明るくなかったし、正直興味もなかったので、俺は相づちを打つことしかできなかった。

「――それで銀次郎さんも、その方のところにお連れしたいんですよ」

「え？　何ですか？」

「嫌だなあ、聞いてなかったんですか？　恐山のイタコです。何回も取材に行っているんです。今度はぜひ銀次郎さんもご一緒に。その時、銀次郎さんの頭の中の知里アシも呼び出してもらえるかもしれない」

俺の頭の中にいるのに、その時だけイタコに乗り移るというのだろうか。そのままずっとイタコの頭の中に居座って欲しいものだが。

俺は『エクソシスト』という映画を思い出した。悪魔に取り憑かれた少女を診察する医師が、家族に悪魔払いを勧めるのだ。映画は現実に悪魔がいるという設定だが、医師は悪魔の存在を信じて悪魔払いを勧めたのではない。少女に対する暗示の効果を狙ったのだ。

現状、俺には自分が知里アシなる女の幽霊に取り憑かれているという自覚はない。松の木の夢を見たぐらいだが、それこそ暗示だろう。もし夢の内容が、エスカレートし酷い悪夢を見るようになったら、イタコに会いに行くのもいいかもしれないが、今はまだその段階ではないのだ。

「ひょっとして、そのイタコと出会った体験記も書かなければいけませんか？」

「もちろんそうですよ。せっかく銀次郎さんは霊に取り憑かれたライターなんだから。そのアドバンテージを徹底的に生かさないと」

——俺は霊に取り憑かれてなんかいない！

と叫びそうになったが、もちろんそういう無礼な態度は取れなかった。こちらは木根に知里アシの調査を頼んでいる立場なのだから。

だが、やはり少し気分が悪くなってきた。金のためなら何でも書くというのが俺の身上だったが、アトランティスと仕事をする以上、超常現象に肯定的な立場で書かざるを得なくなる。ここでは霊に取り憑かれるのはごくごく普通のことで、暗示などという科学的態度はまったくお呼びでないのだ。

やはり聡美の言う通り、入江など無視すれば良かったのだろうか。俺がこうして知里アシを調べれば調べるほど、いっそう暗示を深めることにならないだろうか。今すぐ手を引いた方がいいのだろうか。

だが、ここまで来て今更後には引けなかった。引き返すのはいつでも出来るのだ、それこそミイラ取りがミイラになる前に。俺はそう自分に言い聞かせた。

「とにかく、イタコさんより先に、知里アシです。霊能力者に詳しいライターさんなどはいらっしゃるんでしょうか？」

「もちろん。でも私も知里アシという霊能力者は聞いたことがありません。ほとんど初耳かもしれない。でも大丈夫、うちの雑誌のバックナンバーはすべてアーカイブ化されているので、名前さえ分かれば検索できます。さしずめ超常現象の巨大データベースといったところでしょうか」

「それは凄い」

木根は先ほどお茶を運んでくれた女性を呼んだ。竹田杏菜《あんな》といい、現在大学生でここでアルバイトをしているのだという。思った通りだ。

「彼女がアーカイブを検索してくれますよ。端末は資料室にありますから」

「あ、それはどうも」

「結果が分かったら教えてください。誌面を用意しておくんで」

あまりにもとんとん拍子に話が進み過ぎている感はあるが、確かに記事を書くライター自身が超常現象に巻き込まれたという事件は珍しいのかもしれない。だがここで記事を書くとなると、かなり扇情的な記事になるのは間違いないだろう。週刊標榜なら俺の望んだ記事が書けると思うが、その分、ハードルは高い。とにかく知里アシの霊能力と、知里精治の殺人事件の両面から調べる必要はあるだろう。後者について有益な情報が出てくれれば週刊標榜で書けるかもしれない。取りあえず今は知里アシだ。

やはり多忙なのだろう、木根は席を外し、代わりに竹田杏菜が俺の相手をしてくれることになった。口数が少ない彼女に、俺は資料室に案内された。アーカイブ化されていると言っても、資料室にはアトランティスのバックナンバーがずらりと並んでいた。四十年分の歴史は壮観で、これだけあればどこかに知里アシの記事が存在しているのは間違いないと思えた。

杏菜は部屋にある端末で、知里アシという名前を検索してくれた。バイトの学生をつけたのも、やはり部外者が勝手に貴重なアーカイブをいじることを嫌ったのだろう。

やはり膨大なバックナンバーを検索するのは時間がかかるのか、数分待つことになった。

何とはなしに俺は訊いた。

「これはLANですか？」

「はい？」

「いや、インターネットで知里アシを検索したんだけど出てこなくて。もしこのアーカイブがインターネットから見られるのなら、ヒットしてもいいのにと思って」

「年会費を払えばインターネットからバックナンバーを参照できます」

と素っ気ない返事だった。膨大なバックナンバーの背表紙を眺めながら、俺は早く検索結果が出ないものかと気を揉んだ。

「出ましたよ」

と杏菜が言った。はやる気持ちを抑えて、画面を覗き込む。


検索結果がありません。


俺はその無慈悲な文字の羅列を暫く見つめていた。

「どうされます？」

と杏菜が訊いた。

「知里精治で検索してもらえますか？」

杏菜は頷く。数分待つ。

検索結果がありません。

「府中脳神経外科病院では？」

検索結果がありません。

俺は近くにあった椅子にうなだれるように座り込んだ。

「参ったな」

とつぶやいた。アトランティスのバックナンバーの背表紙が、まるで俺を威圧するかのように迫ってくる。これほどまでの超常現象の蓄積の中にも、知里アシは存在していなかった。

そもそも知里アシが霊能力者という話はどこから出てきたのだろうか。兄の精治が言っているだけではないのか。霊能力者の看板を掲げて商売しているわけではなく、あくまでも市井《せい》の人間としてその生涯を送ったとしたら、超常現象にかんしては他の追随を許さないアトランティスでも見逃すこともあるのだろう。

だが思う。霊能力者の定義とはなんだろう。科学的信憑性はこの際おいておいても、やはり何らかの活動をして初めて霊能力者と認められるのではないか。何も文章を書かないで作家だとかライターだとか言っているのと同じ。多くの場合、肩書きとは本人ではなく世間が決定するのだから。

知里精治とはいったいどんな人物なのか？　何の目的で芦屋親子に近づいたのか？　単に妹が死んだ八つ当たりのため？　それを芦屋や小坂が真剣にとらえてしまったから自殺の暗示が連鎖した？　ただそれだけの事件？　ならば精治は一体誰に殺されたのだろう。

そう——精治は殺されたのだ。それがなければ、聡美の言う通り、放っておけばいい。年間三万人近くが自殺している日本で、三人が自殺したからといって何だというのだろう。

その時、

「知里アシっていうのは本名ですか？」

と杏菜が訊いてきた。

「え？　さあ、どうでしょう。実はこちらも知里アシについては何も分かっていないに等しいんです。どんな霊能力を持っていたのかも」

「そうですね。さっきも木根とそんな話をしていましたね」

「聞いていたんですか？」

「みんな聞こえていましたよ」

確かにあそこには衝立しかなかったから、声はまる聞こえだっただろう。

「気をつけてくださいね。本当に青森に連れていかれますよ。木根は強引だから」

と杏菜が言った。

「別にそれは良いんです。木根さんに知里アシについて調べていただけるなら。でもこれはちょっと絶望的ですね」

雑誌本文に知里アシの名前がないのだから、ライターが知っているという可能性も低いだろう。

「今、本名ですかとお尋ねしましたけど、霊能力者の中にはステージネームを使っている人も多いんですよ」

「まるで芸能人ですね」

確かにそれで商売をしているから世間に霊能力者と認められる――というのは作家やライターと同じで理に適《かな》っている。

「知里アシとは別の名前で活動していたのかも。だから検索にヒットしなかったんじゃないですか?」

思わず、それはありえる、と言おうとした。だが待て。精治にとって妹が霊能力者であることは絶対的に誇示しなければならなかったはずだ。二人の兄妹の存在意義といっても良い。ならば当然、芦屋親子に会いに行った時、妹のステージネームを告げていたはずだ。入江の話には知里アシ以外の名前が出てこなかった以上、やはり別の名前など精治の妹は持っていなかったのではないか。

つまり活動など一切行っていない自称霊能力者だったのだろうか。それでは精治は、どうしてそこまで強固に妹が霊能力者であると主張するのだろう。

本物だからだろうか。

本物であれば、それで金を稼いでいようがいまいが、誰からも認めてもらえなくとも、妹は霊能力者であると主張し続けるだろう。本物なのだから。もちろんこの世界には、金のために霊能力者を演じている者よりも、本当に自分が霊能力者だと信じている者の方が遥かに多いのかもしれないが。

「本名だとしたら北海道の人かもしれませんね」

「北海道?」

「ええ。私、北海道に友達がいるんですけど、その友達の親戚だか何なのか、詳しいことは忘れてしまったんですけど、知里さんって人がいました。北海道に多い名字だって、自慢するみたいに言っていましたけど」

「知里姓は北海道由来ってことですか？」

「由来かどうかは分からないけど、北海道に多い名前なのは確かなようですね。やっぱり本名なのかもしれませんね。なかなか芸名で知里って名字は出て来ないと思いますから。電話帳で連絡先が分かるんじゃないかしら。名前を載せていたら、の話だけど」

「電話帳か！」

俺は思わず叫んだ。当たり前すぎて、なかなかそんな発想が出て来なかった。虱潰《しらみつぶ》しに電話をかけるなど労力の割には成功率が低い手段だが、知里姓が極めて珍しいものだとしたら、十分やってみる価値はある。

俺は礼を言ってアトランティス編集部を後にした。杏菜のアドバイスは目から鱗だったが、正直、その程度のことなら自分でも思いついたかもしれないし、それ以外に得られた情報と言えば、知里アシは霊能力者として世間にアピールするような活動はしていなかったらしい、ということだけだった。これは木根に余計な言質を取られただけだったな、と思い少し気が重かった。記事を書くだけならともかく『イタコに口寄せしてもらう桑原銀次郎』などというキャプションつきで写真を載せられたら、オカルト専門のライターと色眼鏡で見られて、今後普通の仕事が回ってこない恐れがある。

まあ、今回のようなオカルトの事件を扱うことは初めてだし、その方面の人脈を作っておけば、後々助かるかもしれない。万が一本当に望まない仕事が回ってきた場合は、その時考えよう。幽霊ならともかく、木根は人間だ。交渉の余地はあるはず。

北海道のハローページは申し込めば送料だけの実費で送ってくれるはずだ。だが数日かかるだろう。その時間が惜しかった。俺はその足で新橋に向かった。駅前の家電量販店に行くためだ。この手の店は秋葉原に行けばいくらでもあるが、あそこはトラウマがある土地だ。当分、足を踏み入れたくはない。

品川のオフィス街はまだ良かったが、新橋の駅前は無数の人々が行き交い、今の俺には、他人とぶつからないように歩くことすら一苦労だった。かといって迂闊に立ち止まると舌打ちをされるので、一度も止まらずに人々の間をすり抜けて歩くのはほとんど冒険だった。何とか誰とも肩をぶつけずに量販店に辿り着き、そこで俺は全国の法人、個人の電話番号を網羅しているDVDを購入した。ハローページには著作権がないので、各社が電話帳のデータをソフトにして売っているのだ。

ただで手に入るものに金を払うのかと思うと複雑な気持ちになるが、このソフトさえあれば日本中すべての知里姓の人間をすぐに検索できる。もっとも最近では安全面から自分の番号の掲載を取りやめるケースが少なくない。かく言う俺もかなり前から自分の番号を出さないようにしている。この仕事を始めて、電話帳を利用した嫌がらせ、キャッチセールス等の事例を多く見聞きするようになったからだ。

自分自身が厭《いと》っているものを仕事に利用するのは確かに卑怯なように思える。だが、いちいちそんなことを気にしていたら仕事にならない。

早速家に帰ってソフトを走らせた。知里、と検索する。驚いた。知里姓の人間は、何と日本で二十世帯程しか存在しないのだ。そしてそのほとんどが北海道の電話帳からのヒットだった。杏菜の言った通りだ。彼女の知人もこの中にいるのかもしれない。

日本で知里姓の人間が、本当にそれだけしかいないのかは疑問が残る。俺のように電話帳に載せないポリシーの人間もいるだろう。だがやはり珍しい姓の人間には違いないようだ。

そしてそこに知里精治の名前も、あった。同姓同名の別人とは思えない。

しかし喜んでいる場合ではない。確かに知里精治の連絡先は分かったが、彼はもう死んでいるのだ。この電話番号だって使われていないかもしれない。念のためかけてみたが、おかけになった電話番号は現在使われておりません、とのメッセージが流れるだけだった。思えば知里精治は、北海道を出てこっちにアパートを借りて住んでいた。そこで死体となって発見されたのだ。当然、検索で北海道の電話番号が出てきた時点で、その情報は少し古いものということだ。

ソフトに無駄金を使ってしまったか、と一瞬後悔しかけたが、知里精治という人間が北海道に確かに存在していたことが分かっただけでも収穫だった。

その時、ふと疑問が生じた。では知里アシは？

電話帳には知里アシの名前はない。これ自体は何も不自然ではない。電話帳には世帯主の名前が載るものだ。知里アシが結婚していたのかどうかは分からない。もし結婚していたとしたら、当然、旧姓の知里アシはステージネームということになる。だが俺は知里アシは結婚していない、もしくは過去に結婚していたが離婚し、自殺した当時は独身でなかったかと疑った。入江の話に、知里アシの夫はまるで出てこなかったからだ。

もし兄と同じ北海道に住んでいたとしたら、松の木が立っている海岸も当然北海道にあることになる。そこで彼女は首を吊った。だが最終的に府中脳神経外科で死んでいるのだ。道内の病院をたらい回しにされ、東京で治すしかないとなったのだろうか。しかし昏睡状態の患者を飛行機で運ぶのはかなり大変だ。いったいいくら料金を上乗せすればいいのか。もちろん、必要ならばやるだろう。だがその費用は、ほとんどの場合患者持ちだ。船ならば、飛行機に比べて安く済むだろうが、大変なことには違いない。

知里精治が裕福であったとは思えない。引っ越し先のアパートも安普請と言っていたではないか。そんな彼に昏睡状態のアシを北海道から府中にまで運ぶだけの経済的余裕があるのだろうか。

電話帳に彼の名前が載っているのだから、とにかく北海道に住んでいたことは間違いない。恐らく出身も北海道だ。だが東京に越してきた。何故？　中年を遥かに越える年までずっと北海道で暮らしてきたのに、今更東京に引っ越す理由が分からなかった。

アシを探すためではないか。

そう考えれば、知里アシが府中でその生涯を終えたのも不自然ではなくなる。既に北海道にはいなかったからだ。松の木の海岸は、恐らく関東のどこかだろう。

では何故アシは、上京した？

妹を探し回る兄、兄から逃げる妹――そんな図式が容易に想像できる。兄は妹を霊能力者として売り出そうとしていた。妹はそんな兄の呪縛から逃れるために北海道の地を後にした。しかし兄は追跡の手を緩めない。そして遂に妹は自ら死を選んでしまう。だが兄は転んでもただでは起きない男だった。妹の肉体は死んでも、霊魂だけは生き残るはずだと考えた。いや、そうでなければならなかった。だから、そういうストーリーを創作した。そして選ばれたのは芦屋秋宗という少年だった。多感な少年は、精治の暗示にかかり、アシと同じように自ら死を選んでしまう。その後を小坂直人が引き継ぎ、今に至る、だ。

もちろん推測に過ぎない。だがいい線を行っているのではないか。

問題は精治が何故、殺されたかだ。この推測を真実として論を進めるならば、精治を殺す動機が一番あるのはアシだ。だが彼女はその時点ですでに死んでいる。幽霊話を信じるほど、俺はお人好しではない。だが、アシの怨念が精治を殺したとなったら、これはなかなか読み物として面白い記事が書けると思う。アシは精治を殺しただけでは飽き足らず、芦屋秋宗も、小坂直人も、入江和子も毒牙にかけたのだ。

――でも三人は自殺だ。

三人を自殺に追い込む霊力があるのなら、精治も同じように殺せばいいではないか。何故彼だけ、ナイフで刺し殺すなどという妙に即物的な手段なのか。やはり彼だけは、人間の手で殺されたのだ。この際、他の自殺者は幽霊が殺したと割り切ってもいい。木根はああ言っていたが、幽霊とは、即ち暗示のことだと、やはり俺は思う。


それから、ソフトでヒットした知里姓の人間に片っ端から電話をかけた。せいぜい二十人だから大した労力ではない。

これだけ珍しい名字だ。かなりの人数が親族と考えて間違いないのではないか。杏菜が言っていた知里姓の知人も、もしかしたら精治やアシとそう遠くない親戚なのかもしれない。

こういう電話取材では胡散臭《うさんくさ》いライターなんかと話すことはないと言わんばかりに、突然電話を切られてしまうことも珍しくない。向こうに相手をする義務などないのだから、致し方ない面もある。だから今回もある程度は覚悟していたが、意外なことに比較的みな親切に俺の話を聞いてくれた。田舎の人、と言ったら悪いかもしれないが、やはり地方の人の方が東京の人間に比べて噂好きなんだな、という印象を強く持った。俺のような胡散臭いライターに簡単に心を許すような素朴な人たちだ。電話での詐欺やキャッチセールスなどに引っかからなければいいのだが、という感想もまた余計なお世話だろうか。

精治やアシのことに心当たりがない人にかんしては、丁寧にお礼を言って早々に電話を切り上げた。兄妹のことを知っている人間はほどなくして見つかった。

『久しぶりに聞きました、その名前。できれば思い出したくなかったけど』

いかにも噂好きの主婦と言わんばかりの甲高い声が俺の耳を突いた。彼女は知里百子《ももこ》という名で、彼女の夫が兄妹のいとこらしい。

「お会いになったことがあるんですか？」

『ええ。やっぱり親戚ですから。でもいい印象はなかったですね。元から暗い人たちでしたけど、十年ぐらい前だったかしら、お爺ちゃんのお葬式の席で皆の前で大喧嘩して、それからもうまったく姿を現さなくなりましたね』

「喧嘩？　それはいったいどういう理由で――」

『いえ、当たり前のことを誰かが言ったんですよ。その時、お兄さんの方が五十手前で、アシさんの方が四十過ぎで。それで二人とも独身だから早く結婚しろって。お兄さんとアシさん、ご両親を早くに亡くして、ずっと二人で暮らしてきたんです。君らまるで夫婦みたいだぞって。そうしたらお兄さん怒って、テーブルひっくり返して、お寿司とか、お刺し身とか、みんな床にぶちまけちゃって。警察沙汰にはならなかったけど、殴られた人もいました。おかしいでしょう？　そんなことであんなに怒るなんて。だってあの二人、知らない人が見たら、みんな夫婦だと勘違いしますよ。見た目というか、もう佇まいが夫婦なんですもの』

「暴れたのは精治さんの方なんですね？」

『ええ。アシさんは部屋の片隅で正座してポロポロ涙を流していました。あのお兄さんが束縛しているから遂に結婚できなかったんだって、皆噂してましたよ』

　貴重な証言だった。アシが精治の呪縛から逃れるために東京に逃げてきた、という俺の推測を裏付けるものに思えた。

「それを最後に音信不通になったと」

『そうです。元々あの二人と仲良くはしていなかったけれど。それでも夫は一応いとこだから、何かそういう親戚が集まる機会があるたびに、精治さんに連絡していました。でも精治さんが暴れて、それも止めたんです。だってそうでしょう？　お前があんな二人を呼ぶからこんな騒ぎになるんだって言われたんですもの。こっちは良かれと思って呼んだのに、なんでそんなことを言われなきゃいけないんでしょうかねえ』

「ちなみに、その時、精治さんとアシさんがどんなお仕事をされていたか、ご存じですか？」

『それが分からないんです。興行師って言うんですか？　テキ屋さんと呼んでる人もいました。でも具体的に何をやっているのか知っている人はいなかったです。二人に訊いても教えてくれなくて、そういうところもお二人が孤立する原因だったのかもしれません』

「その興行師って、ひょっとして幽霊とか霊能力を売り物にしたものじゃなかったですか？」

かなり核心をついた質問のつもりだったが、彼女は、

『さあ、どうだったでしょうね。とにかくあんまりかかわらないようにしていたから』

と素っ気なく答えただけだった。

百子はできるだけ本題に触れないように、恐々と話しているように思えたので、俺の方から話を切り出さなければならなかった。

「二人とも亡くなられたのはご存じですよね？　私はその件を調べているんです」

百子は少し黙ってから、言った。

『何か事件に進展があったんですか？　でも、だとしたら警察の方が連絡してくるはずですね。あなたは、マスコミの人？』

「はい、そうです」

『でも特に面白い事件じゃないでしょう？　人が刺し殺される事件なんて、今の日本じゃ山のように起きてるから。現に一度テレビのニュースでやったっきりで、後は静かなものです。まあ、そっとしておいて欲しい気持ちはあるからそれでいいんですけど』

話し好きと思われる百子の、それが唯一の俺に対する非難だった。

「申し訳ありません。でも二、三気になることがあるんです。精治さんのご遺体を発見された方のことをご存じですか？」

『警察の方が教えてくれたような気もしますけど、もう忘れてしまいました。あの人が東京で何をしようと、私たちにはいっさい関係ないんです。殺されたのも、きっとそっち関係が原因なんでしょう？』

「そうかもしれないし、そうでないかもしれません。お尋ねしたいのですが、精治さんを恨んでいた人に心当たりはありませんか？」

『心当たりなんてとんでもない！　そんな恐ろしい。さっきっから申している通り、あの人たちとはほとんど付き合いがなかったんです。恨んでいる人なんて知りませんよ』

「でも、葬儀の席で暴れたんでしょう？　暴力を振るったとか。それを根に持っている人がいるかもしれない」

『私たちの中に犯人がいるって言うんですか⁉　どこにいるのか分からない精治さんを探し回って殺したと？　私たち、精治さんが東京に引っ越したってことも知らなかったんです！』

百子は少し感情的になってそう言った。

『大きな声を出してごめんなさい。でもそういう質問は警察の方に散々されたんです。まるで犯人扱いで――その時のことを思い出してしまって』

「ご気分を害されたのなら申し訳ありません。実はご遺体を発見された方と精治さんとは生前トラブルになっていたそうなんです。それもお金の貸し借りとかそういう分かりやすいものではなく、妹のアシさんの霊が取り憑いていると言われたようで――」

百子は鼻で笑った。

『アシさんも亡くなったんですね。自殺だとか。私たち、そのことを精治さんが殺されて初めて警察の方に教えられたんですよ。きっと精治さんが追い詰めたに違いありません。精治さんは自分でもそのことを分かっているのに、罪悪感で認めたくないから、アシさんの霊がどうとか言い出したんじゃないですか？　殺されたのも、それで霊感商法紛いのことを始めたからですよ。私たちには何も関係ありません』

百子の話には一理あった。やはり親族であり、実際に警察に疑われた人間の発言は重みが違った。ある意味、入江などに比べると、よほどリアリズムの世界で生きている。幽霊などお呼びでないという様子だ。

『最初話を聞いた時、それって逆なんじゃないかと思いましたよ。アシさんが殺されて、精治さんが自殺をしたと』

「つまり精治さんが起こした無理心中だと？」

『ええ。それなら素直に納得がいったんですけど。でも今更どうでもいいです。私たちとはもう関係ない人たちですから』

「そうですか――でも、お二人のお葬式はどうされたんですか？」

『アシさんの時は、一応精治さんが死亡届を出して、火葬にしたそうです。もちろんその時のことは分かりませんけど、本当にご遺体を焼いただけの素っ気ないものだったみたいです。精治さん、アシさんのお骨をお墓にも入れず、ずっと持っていたようなんです。まあ、私たちに頼んでお墓に入れてくれなんて今更言えないのは分かりますけど――。でも精治さんの時は夫が引き取って、ちゃんとお葬式を出しました。私たち夫婦と、あと何人か参列しただけの寂しいものでしたけど、ご遺体を焼くだけのお葬式よりもずっとマシです。それで精治さんとアシさんのお骨を、二人のご両親のお墓に納めたんです』

両親の墓があるのなら、アシの骨をずっと持っていたのは、体裁が悪いからではなく、ただ純粋に手元に置いておきたかったからではないか。あるいは、もしかしたら北海道という土地に舞い戻るのが嫌だったのかもしれない。

問題はアシの方だ。もしアシが精治に束縛されていたという推測が事実だとしたら、彼女は精治と同じ墓に入ることに忸怩《じくじ》たる思いがあったのではないか。いや、魂は肉体から離れて府中脳神経外科で昏睡状態にある患者を渡り歩き、今は俺に取り憑いているのだから、骨が誰と一緒に墓に納められようと関係ないのか——そんなことを考えて、俺は思わず笑いそうになった。人が死んでいるシリアスな事件なのは分かるが、霊魂が絡んでいるので真剣に調べるのがどことなく滑稽なのだ。

もちろん、人は死んだらそれまでだ。俺は今回の件に合理的な説明がつくことを望んでいる。それこそアトランティスではなく週刊標榜に載るに相応《ふさわ》しい、堂々たる読み物に仕立てたい。そのためには、精治を殺した犯人に肉薄することが望ましい。果たしてそれができるだろうか。警察も未だに事件を解決できていないのに。

「じゃあ、精治さんとアシさんのお墓は、そちらに——北海道にあるんですね」

『ええ、釧路に』

現時点で二人の墓を訪ねたところで何か分かるとは思えない。問題なのは、やはりアシの霊能力だろう。本当にアシにそんな能力があるのかどうかは後回しだ。アシが霊能力者だと精治が主張して止まない理由が、どこかに存在するはずなのだ。それがなければ精治は芦屋親子に付きまとうこともせず、結果として入江が俺のところに来ることもなかったのだから、優先して調べなければならない。

「あの、精治さんが葬儀の席で暴れたのは、何年の何月のことだか分かりますか？」

『分かりませんよ！　そんな昔のこと』

いくらなんでも葬式なのだから、ちょっと調べればすぐに分かるだろう。だが確かにこちらは手間暇をかけて調べてくれと頼める立場ではない。しつこく食い下がると態度が頑《かたく》なになると思って、今は取りあえず諦めることにする。

その葬儀の段階では、精治とアシは揃って参列していた。その後、二人は東京に向かい、アシは自殺し、精治は殺されたのだ。その空白の期間、一体、兄妹に何があったのか？

「ありがとうございます。最後にもう一つだけお聞きしたいのですが」

『なんですか？』

「海の近くに立っている松の木に心当たりはありますか？」

もちろん、知らないという答えが返ってきた。

後日、新横浜で入江が芦屋と小坂との会食の席を設けてくれた。気を遣ったのか入江が用意したのは懐石料理の店だった。しかし高級店ではなくチェーン店のせいか、おせっかいな仲居が頻繁にやって来るので落ちついて話せるとは言い難いものがあった。少なくとも殺人事件の話をするのには、まったく向いていない店だった。

芦屋は学生時代はラグビーをやっていたのではと思わせるほど身体が大きな男で、一方小坂は坂道で転んだらどこまでも転がっていってしまいそうな、小柄で少しぽっちゃりした女性だった。しかし二人とも、どこか弱々しい印象を受けた。親族が自殺したのだから致し方ないかもしれない。初対面の印象ですべてを判断するのは危険だが、俺などよりも、よほど二人の方が自殺の危険があるのではないか。身近な人間に自殺者がいるだけで、自殺の確率は飛躍的に上がるのだ。

あなたたちに必要なのは専門医のカウンセリングだと、言いそうになったが、俺は思い止まった。これを記事にして小金を稼ぎたい気持ちが依然としてあったからだ。いくら記事を書かせてくれると言ってもアトランティスにはあまり深入りしたくなかったが、精治殺人事件を暴いて週刊標榜に掲載できるちゃんとした記事を書ける可能性はまだ残っているのだ。

俺の隣に入江が座り、芦屋と小坂は向かい側に座った。挨拶も早々、小坂は、

「あの、失礼ですけど。お手を触らせてもらってもいいですか？」

と言ってきた。俺は困惑の色を隠せず、入江を見やった。

入江は頷いた。

「触らせてあげてください」

俺はおずおずとテーブルの上に右手を置いた。すると小坂は弾かれたように、両手で俺の手を取った。それほど歳は取っていない筈だが、小坂の手はまるで老人のような感触がした。

小坂は、ああ、と軽く息を吐くようにつぶやきながら、まるで拝むように頭を垂れた。少し泣いているようだった。数十秒ほどそうした後、小坂は諦めがついたように漸く俺の手を放した。

「すいません。私も――」

芦屋も俺の手を取り、小坂と同じようにした。いったい何をされているのか、よく分からなかった。けっして良い気持ちではない。まるで生け贄を崇め奉っているように思えたからだ。たとえどんなに彼らにカウンセリングが必要に思えても、順番から言って次に自殺するのは俺なのだ。

「入江さんは触らなくていいんですか？」

と俺は冗談めかして言った。入江は俺のその質問に答えず、

「知里アシは、芦屋さんの息子さん、小坂さんの旦那さん、そして私の妻を経由して、今現在、銀次郎さんの中にいます。その際、今までくぐり抜けてきた人間の痕跡も銀次郎さんの中に残っていると、お二人は考えているんです」

「そう思いたいだけです」

と小坂はつぶやいた。

「そんなことすら思っちゃいけないなんて、あまりにも悲しいじゃないですか」

そう言って、小坂はハンカチで涙に濡れた目を拭った。そんな実証はどこにあるんだと問い質したかったが、何だか小坂や芦屋を責めているような気がして躊躇《ためら》われた。仮に彼らも自殺してしまったら、責めた俺に責任があると言われかねない。

俺はここにアトランティスの木根を連れて来るべきだったと後悔した。彼ならば、こういう人間にもそれなりの対応ができるだろう。もっとも、調子に乗って相手に話を合わせるだけで、建設的な話はいっさいできないだろうが。

幽霊というだけでも眉唾物なのに、そこにセンチメンタルな要素が入ると目も当てられなくなる。だいたい読者は情緒的なので、お涙頂戴ものに仕立てるとどんな非科学的な記事でも受け入れてしまう傾向にある。もちろん商売だから、そういう記事を書けと言われれば書

く。だがそのためには客観的に材料を集めなければならない。

次々と運ばれてくる濃い味付けの料理を食いながら、俺は本題に入った。

「府中脳神経外科のカルテ開示の方はどうなりました？」

「三人で行ったんですが、嫌な顔をされました。どういった目的でカルテを使用するつもりなのかを散々訊かれました」

と芦屋は言った。

「それで、何て答えました？」

「知里アシのことは言わない方が良かったと思ったんですが、あまりにしつこく訊くので、言ってしまいました。自分たちで知里アシさんのことを調べるつもりだって」

「あ、でも銀次郎さんの名前は出していないので、ご心配なく」

と入江が言い訳がましく言った。

「過去に主治医に知里アシのことを相談したことはありますか？」

三人は顔を見合わせた。

「知里アシの兄に付きまとわれているってことは何回か相談しました。そういうのは警察に言ってください、と素っ気ない返事でした」

まあ医師ならそう答えるだろう。聡美と同じ、霊魂の存在など口に出した瞬間に鼻で笑われるに違いない。もしくは認知に問題があると見なされて、脳の検査を受けるはめになる。何しろ脳神経外科なのだ。

「そうですか。知里アシのことを以前から主治医に相談しているのなら、今更隠してもさして意味はないでしょうね。いえ、前の妻からカルテ開示は面倒だという話を聞いていたので、超常現象的なものを持ち出したら、病院側の態度が頑なになると思ったんです。でもカルテ開示は患者の正当な権利ですから、臆する事なくやりましょう」

するとと三人は困ったように顔を見合わせた。

「どうしました？」

「それが、一応審査にかけてみるけど、難しいかもしれないと言われたんです」

「難しい？　どうしてですか？」

「カルテ開示の申請は原則患者本人しかできないそうなんです。でも、患者本人はもう亡くなっているわけですから」

「遺族には申請の権利はないと？」

「いえ、一応親族なら申請できるんですけど、時間がかかるかもしれないと」

結局、ゴネて逃げる気なのかもしれない。ただ府中脳神経外科がそこまでしてカルテ開示を拒む理由があるのだろうか。

「仕方がないですね。ただまだ駄目だったと決まった訳でもないです。長期戦になるかもしれないけど、じっくり腰を据えましょう」

もし府中脳神経外科がそこまでカルテ開示を拒むのであれば、また記事に書くトピックが一つ増えるだけだ。やましいことがあるからカルテを出さないのだ！　とやればいい。病院名は匿名にすれば訴えられることもないだろう。

カルテの件は一先ず置いておいて、俺は芦屋と小坂に改めて暗示の話をした。特に二人は影響を受けやすいタイプに見えた。父親と妻がこのような人間だったら、息子と夫にもその影響が波及するのではないか。彼らが執拗に自殺を恐れるから、息子と夫が同じ運命を辿ってしまったことは十分に考えられた。

「はっきり言います。私は霊魂の存在は信じていません。自殺が連鎖した理由はどうにでも説明がつきますから。たとえば連鎖の証拠として、前の方が自ら命を絶たれたのと同時刻に、次の方が目覚めたと仰いますが、もしそれが本当なら秒単位というのは極端ですが、少なくとも分単位で同じ時刻だったという確証は欲しいですね。でも現状それを調べるのは無理でしょう。カルテ開示をすればもしかしたら目覚めた正確な時間は分かるかもしれませんが、死亡推定時刻を分単位で割り出すことは不可能ですから」

「確かにそうかもしれませんが、正直言って三時間以上の誤差はないと思います」

と小坂は不服そうに言った。

「じゃあ、その三時間の間に、府中脳神経外科で目覚めた人間は、他に、本当にいないのですか？　いたとしたら、果たして知里アシの霊魂はどちらに乗り移ったんでしょうね？」

三人は黙りこくった。

「まあ霊魂はコピーしたり、二つに割ったりできそうですけどね」

冗談のつもりで言ったが、三人はまったく笑わなかった。構わずに俺は話を続けた。

「入江さん。僕のことを教えた病院関係者に会わせてはもらえませんか？」

「すいません。それはちょっと勘弁してください」

入江は頭を下げた。

「自分の事は教えない、という約束があるからですか？」

「はい、そうです。それに教えてもらったといっても、あなたの名前と職業だけです。そこからは自分で探したんです」

だから患者の情報を漏らした罪は重くない、と言わんばかりの口ぶりだった。だが確かに名前と職業だけだったら、うっかり口を滑らせたという言い訳も成立するかもしれない。

「ひょっとして、その人にカルテをコピーしてもらおうって言うんですか？　それはちょっと——」

俺は頷いた。

「分かってます。それは現実的じゃないでしょうね。口頭で患者の情報を教えるのはともかく、カルテを外部に持ち出すなんて、発覚したら間違いなくクビだ」

「じゃあ——」

「病院内部に協力者がいた方が、今後いろいろ話を進めやすいと思って。具体的にどうこうしようとはまだ考えていません」

と俺は適当なことを言った。

本当は俺はまだ、この三人を見定めかねていた。訴えている内容が完全にオカルトそのものだからだ。俺も自分が少なからずかかわっているから、彼らと付き合っているが、そうでなければ記事が金になる保証もないこんな話は断っていただろう。

彼らは身内が死んでいるのだから、オカルト的発想に取り付かれるのは分からなくもない。だが俺の情報を提供したその第三者は一体、どういうつもりで入江に協力したのだろうか。一度会って話を聞いてみたかったが、取りあえず入江の態度が頑なな今は保留しておこう。

「こうして集まったんです。これからのことをちゃんとお話ししたいと思います」

と俺は言った。

「と、言いますと？」

「取材はします。記事も書きます。まだ口約束の段階で時期も未定ですが、知里アシがどんな霊能力者だったのか、その実像を明らかにできればアトランティスという雑誌は、恐らく誌面を割いてくれるでしょう」

「そうですか！」

三人はほっとしたような表情を浮かべた。

迂闊にアトランティスにかかわると木根に恐山に連れていかれる恐れがある、と言おうとしたが思い止まった。むしろ芦屋と小坂などは、今すぐにも連れていってくれと訴えるだろう。それよりも重要なことがある。

「ただ、これは言っておかなければなりませんがアトランティスはオカルト専門誌です。有名で歴史ある雑誌ですが、読者もオカルトだと割り切って読んでいるきらいがあります。恐らく作っている方もそれを重々承知しているでしょう」

三人は顔を見合わせた。

「つまりどういうことですか？」

「読みものとして面白がってくれるかもしれませんが、それを本気で信じ、真剣に我々を心配してくれる人たちは、多分、いないってことです。下手をしたら、見せ物のように扱われるかもしれません」

見せ物、という言葉でさすがに三人は黙りこくった。

「真剣に取り合ってくれるような記事が書ける可能性はなくはありません。それは精治さんの殺人事件をメインに書くことです。霊能力と言うと漠然としていますが、殺人事件は現実のものだからです。アトランティスに書く時点でキワモノのように扱われるのは間違いないです。でも週刊標榜のような一般誌に掲載することができれば信頼度が違う」

「銀次郎さんは——どうなさりたいんですか？」

「私はもちろん知里精治の殺人事件をメインに取り扱いたいです。それで改めて皆さんに伺いたいのですが、この一連の顛末を、どのようにして収拾させたいですか？」

「——収拾、とは？」

ぼんやりと芦屋が訊いた。

「言い方を変えます。どのようにすれば満足なさるか、ということです。私はライターだから、金になるならどんな記事でも書きます。それで満足します。でも皆さんは、まさかお金目当てに私に記事を書けと言うんじゃないでしょうね？　もちろん、皆さんが持ってきてくださった話だから、原稿料をお分けしてもいいです。でも仮に四人で均等に分けたとしても、雀の涙ほどですよ。ライターはそう儲かる職業じゃない」

暫く三人は沈黙した。俺はあえて三人が口を開くまで待った。

「あ、いえ。お金なんてどうだっていいんです」

と言ったのは小坂だった。

俺は頷いた。

「なら、もう諦めるという決断も、選択肢にいれてはいかがです？」

「諦める、とは？」

「そのままの意味です。確かに精治が芦屋さんと小坂さんにストーカーのように付きまとっていた時点では、これは何とかしなければいけない事態だというのは分かります。でも彼はもう殺されたわけでしょう？　現状危険はないわけです。入江さん、私が以前お話しした、暗示の話、お二人にもされましたか？」

入江は恐る恐るといったふうに頷いた。

「私の元妻も同じような意見でした。もちろんカルテ開示の話は進めて頂きたいんですよ。元妻が言うには、僕も含めて四人――知里アシも含めて五人ですか。皆、脳に障害を負っているから、共通点が見つかれば彼らが自殺した遠因が摑めるのではないか、という医師的な興味です。もちろん、皆さん方が府中脳神経外科に不信感を抱かれているのであれば、セカンドオピニオンという意味もあります」

三人は俺の話に何度も頷いた。まるで教祖の意見に唯々諾々と従う信徒を前にしているようだった。そしてその比喩は、あながち比喩と言い切れないだけに、複雑な気持ちだった。

「ですが知里アシの霊魂が乗り移って皆さんの親族を自殺に追いやったという話は、先ほども申しましたが、精治殺害にかんして何か読み物として面白いトピックが手に入らない限りアトランティスのようなオカルト雑誌にしか相手にしてもらえないのが現実です。そのような形で騒がれるぐらいなら、もうここで諦めるというのも一つの手段ではありませんか？」

そもそも入江は何故、俺のところに来たのだろう。その理由は分かっている。入江は、もちろん芦屋や小坂もそうだが、自分の大切な親族が自殺したことを信じたくない。だから悪あがきをしているのだ。このことを世間に広めれば、自分たちの心の痛みが少し軽くなると考えているのだ。

あるいはこうも言い換えられる。暗示によって自殺が連鎖したなど彼らは百も承知で、その連鎖を出来るだけ続けたいと考えている。彼らは被害者の会を立ち上げているという。それがちゃんとした組織なのか、それとも勝手に言っているだけなのかは分からない。だが常日頃から、芦屋と小坂と入江の三人で、親睦を深めているのは事実だろう。

一人死ねばその悲しみを全部一人で背負わなければならない。でも三人死ねば、三人で悲しみを分けあえる。三人死ねば三分の一、十人死ねば十分の一、百人死ねば百分の一——。

もちろん彼らは俺が自殺することをも望んでいるのだ。記事を書く書かないは本質ではなかった。あくまでも俺をこの連続自殺事件にどっぷりとのめり込ませて、最終的に自殺においやることが目的なのだ。

そして、俺が自殺したのと同時期に目覚めた、などと言いがかりをつけて、また府中脳神経外科で昏睡状態から目覚めた患者の元に会いに行くのだろう。確かに知里兄妹の件は気になるが、こうして芦屋や小坂と面会して、やはり手を引くべきかもしれない、という思いを強く持った。

だが、

「私は諦めません」

と小坂は強い口調で言った。控えめな女性という印象だったので、その反応は意外だった。

「確かに桑原さんが仰る通り、いつまでも過去にしがみついてはいけないというのは分かります。私たちが忘れてしまえば、もう誰も自殺なんてしないと。でも私が恐れているのは、そういうことじゃないんです」

「――どういう意味ですか？」

「知里精治を殺した犯人は未だに見つかっていません。誰が犯人なのか、男か女かも分かりませんが、その人物に私たちが殺されるかもしれないんです。警察は引き続き捜査をしていると言っていますが、どこまで本気で捜査をしているか分かりません。たとえオカルトでもいいんです。桑原さんが、芦屋さんの息子さんや、私の夫や、入江さんの奥さんが自殺したことを、面白おかしく怪しげな雑誌に書いても。それで世間で話題になれば、警察も本腰を入れて捜査をするでしょうから」

ことは殺人事件だから、警察が本腰を入れていないわけではないだろう。しかし、警察は世論が注目する事件の方をより重要視するという小坂の理屈はよく分かった。

「でも、どうして精治を殺した犯人に、あなたがたが狙われると？」

小坂は芦屋と顔を見合わせてから、言った。

「きっと桑原さんは、精治が会いに来た時も、相手にしないで追い返せば良かった、と思っているんじゃないでしょうか。確かに、昏睡から目覚めた直後には、リハビリ機器のキャッチセールスや、宗教の勧誘も少なくありませんでした。そういうのは片っ端から断ってきたんです」

俺の個人情報を入江に教えた病院関係者に憤慨する気持ちはあったが、何のことはない。こうして情報はどこからか漏れているのだ。現に俺が退院した直後も、宗教の勧誘がしつこかった。温和な中年女性の場合が多く、一度教会に遊びに来てください、などとボランティアのつもりだろう。だが、こちらにしてみれば病み上がりで弱っているところを狙い撃ちしているとしか思えず、正直迷惑だった。

「でも何ていうか――精治は必死そうだったんです。私に断られたら、後がないといった雰囲気で。キャッチセールスの類いではない、と思ったんです。もし押し売りだったら、私以外にカモは沢山いるんですから」

　小坂の口から、カモ、という言葉が出てきて少し驚いた。彼女は見た目以上にしっかりしている女性なのかもしれない。少なくともセールスに騙されるような女性ではないだろう。

「そう言えば、私に会いに来た時の入江さんもそうでしたね。正直警戒しましたが、何かの勧誘ではないことだけはすぐに分かりました」

　入江は照れ臭そうに、へへへ、と笑った。別に褒めている訳ではないのだが。

「精治もそんな様子だったんですか？」

　小坂は頷いた。

「早くにあなたに会って話す必要があると。自分はいずれ殺されてしまうかもしれないと」

「殺されてしまうかも、と自分の口で言ったんですか？」

「はい」

「芦屋さん。精治が芦屋さんの元を訪ねた時も、そのようなことを彼は言いましたか？」

　芦屋はゆっくりと首を横に振った。その動作は鈍重そうだが、記憶は確かなようだった。

「私は知りません。殺されるなんて話は、まったく聞いたことがありません」

そうすると、精治は小坂だけに自分が殺される危険性を訴えたことになる。いったい何故だろう？

小坂が女性だから、芦屋とは違う対応をしたのだろうか。だが、どうも釈然としない。やはり単純に、芦屋秋宗が自殺してから、精治が小坂に接触する間に、精治が命の危険を感じる何かが起こったのではないか。それは何か——。

そこまで考えて、はっとした。『何か』は起こっているのだ。言うまでもない、芦屋秋宗の自殺だ。つまり秋宗の自殺は、精治にとって完全にイレギュラーなものだった。芦屋秋宗という少年の自殺によって、精治は身の危険を感じた——いったい何故だ？　それこそ芦屋秋宗も自殺に見せかけた他殺だというのなら話は別だが、現状そんな話は出ていないのだ。

一方、精治の方は、これは紛うことなき他殺だ。

「小坂さんも命を狙われると精治は言ったんですか？」

「いえ、そういうことは言っていません。少なくとも、その時は気にもしていませんでした。いきなり現れた精治という男の不気味さの方が先に立って——やっぱり殺される云々よりも、私の夫に妹の霊魂が乗り移っているなんて話の方がインパクトありますもの。それを信じたわけではなく、ちょっとおかしな人に付きまとわれてるって意味で。ただこういうことになって、改めて精治が初めて私の元に来た時のことを思い出すと、もしかしたら、精治と同じように知里アシの霊魂を追っている者がいて、その人物に殺されたんじゃないかって、そんなことを考えるんです——」

「そいつが、あなた方の命も狙うかもしれないと？」

　小坂は頷いた。

「理屈じゃないんです。やっぱり私たちに付きまとっていた人が殺されたら、自分も危ないんじゃないかって思いますもの」

「そういう気配を感じるんですか？　たとえば誰かに付きまとわれてるといった——」

「いえ、そういうのはないんですけど」

　俺は隣に座っている入江に言った。

「最初にお会いした時は、精治を殺した犯人に、自分たちも狙われているといった話はなかったと思いますが」

「確かに言いませんでした。このことについては何度も小坂さんと話したんです。考え過ぎだって。だってそうでしょう？　精治一人が殺されたからといって、精治の関係者が全員命を狙われるなんて、ちょっと荒唐無稽じゃないですか」

　そうかもしれないし、そうでないとも言える。特に今回は霊魂というオカルト的なものが相手だから質《たち》が悪い。ここでも霊魂が存在するしないは重要ではなく、それを信じるか信じないか、という問題がクローズアップされることになる。その意味では、確かに霊魂や幽霊は存在すると言えるのだ。それを信じる人間の心の中に。だから知里アシが彼らの遺族の元を渡り歩いて、今俺の体の中に存在するというのも間違っていると切り捨てるわけにはいかない。俺がほんの少しでも信じてしまうだけで、そこに知里アシは生まれるのだから。

「それに――そんなことが言えると思います？　自殺が連鎖しているという事件なら、銀次郎さんもそんなのは気の持ちようだと考えて話を聞いてくれるかもしれない。でも命を狙われるとなると、気の持ちようではどうしようもありませんからね」

と入江は嘯《うそぶ》いた。実際彼は、精治が殺された事件をそれほど重要視していないのかもしれない。霊魂やら霊能力やら怪しげな能力を売りにしている人間は、いろいろな人達と軋轢があったことは想像に難《かた》くない。そんな人間が殺されたからと言って、自分たちと関連付けて考えるのは早とちりだと。

ただ入江が――俺もそうだが――今回の事件に介入した時には、既に精治は死んでいる。彼と会ったこともないわけだ。一方、芦屋と小坂は精治に付きまとわれ、彼の死体を発見している。一般人が殺人の被害者の死体を発見するなど、そうそうあるものではない。しかも刺殺だ。現場はむごたらしい惨状だっただろう。だからこそ芦屋や小坂は、自分たちも殺されるかもしれない、と考えてしまうのかもしれない。

「警察は、そりゃ酷かったです」

　今まで口数が少なかった芦屋が口を開いた。

「私たちが第一発見者ですからね。精治とどんな繋がりがあるのかしつこく訊かれました。繋がりもなにも、こっちは付きまとわれた被害者ですからね。だから正直に知里アシや、息子が自殺した話を出すと、こっちが霊能力を信じている不審人物のような目で見られる。揚げ句の果てには犯人扱いです。付きまとわれていたんだから、殺したんじゃないかって。結局、私も小坂さんもアリバイが証明されて事無きを得ましたが。でも、あんなやり方って酷いと思います。ぜひ桑原さんには警察の横暴を告発していただきたいんです」

　そう言って芦屋は頭を下げた。

　警察の横暴を告発するために記事を書く、なんて話は今初めて聞いたので、俺は面食らってしまった。まあ三人共に足並みを揃えている訳ではなく、一人一人それぞれの想いがあるんだろうと思って、揚げ足をとるのは止めておいた。

　ただ関係者がある程度疑われるのは仕方がないことだし、結局アリバイが立証されたのだから、疑いは晴れたのだ。アトランティスは霊魂絡みでないと記事を載せてくれないだろうし、週刊標榜で記事にするほど酷い横暴というわけでもない。

「でも、運良くアリバイがありましたね」

と俺はぼろっと言った。精治の死亡推定時刻に、芦屋は飲み仲間と映画を観に行き、小坂は高校時代の友人と食事をしている。

するると、

「私たちがアリバイ工作をしたと？」

と急に強い口調になって芦屋は言った。初めて会った時の弱々しい印象が嘘のように、強い眼差しで俺を見た。

俺も芦屋を見返した。

「芦屋さん——！」

咎《とが》めるように入江が言った。その声で、芦屋ははっとしたように、

「すいません」

と俺に頭を下げた。

「アリバイのことは警察にも散々疑われたんです。どちらも友達の証言だからなあ、と散々嫌味を言われて。それでちょっと気が立ってしまっていて——失礼な態度をとってしまって申し訳ありません」

「いえ、いいんです」

と俺は微笑んで言った。取材でいろんな人間に会ってきているから、この程度のことでシ

ョックを受けたり腹を立てたりはしない。相手を怒らせて隠れた一面を引きだすのが優れたインタビュアーだ、などと公言して憚《はばか》らない同業者もいるくらいだ。

　もちろん、俺はわざと芦屋を挑発した訳ではないが、今の彼の態度は気になった。もしかしたら、この三人には、本当に精治の殺人にかんしてはやましいところがあるのかもしれない。彼らが重要視しているのは知里アシではなく精治の方だった。ライターの俺に自分たちに都合のいい記事を書かせて世間に流布するのが目的――そんな推測はあまりにも穿った見方だろうか。

「もちろん精治は、私たちと何の関係もないことが原因で殺されたのかもしれません。でも警察に疑われたのは事実です。アリバイが証明されたから、それで無罪放免というわけではないんです」

「そうなんですか？」

「そうです！　それからも、たびたび警察が来ていろいろ話を聞かれましたもの。最近はなくなりましたけど、ご近所の目もあるし――」

「でも精治が東京に出てきてからの、お二人は数少ない知り合いですよね？　もちろん向こうから勝手に付きまとってきたというのは分かります。でも、いろいろ話を聞かれるのは仕方がないです。精治を殺した犯人を恐れているなら、尚更警察の捜査に協力するべきだと思いますが」

「捜査に協力って言ったって、あの人たちは私たちを疑っているんです。直接手をくださなくとも、精治が殺されるのを知っていたからアリバイを作ったなんて言ってくる刑事もいるんです。アリバイが証明されたからといって、疑いが晴れた訳ではない」

さすがに警察も、俺が考えるようなことは当然視野に入れているようだった。

先ほど、小坂は俺が記事を書けば警察も本腰を入れて捜査に取り組む、という趣旨の発言をしていたが、本腰を入れているからこそ芦屋や小坂を疑っているのではないか。いずれにせよ、俺が記事を書いたぐらいで精治殺害事件の捜査が進むとは思えなかった。

「もう一度確かめさせてください。芦屋さんは警察の横暴を告発したい。小坂さんは精治を殺した犯人を捕まえたい。入江さんは知里アシをオカルト的に取り上げたい。私はどんな記事を書けばいいんです？」

もちろん、そんな三者三様に割り切れるものでもないだろうが、少なくとも彼らの言っていることをそのまま間に受けるとそうなる。

俺の質問に、三人はすぐに答えなかった。息子が、夫が、妻が、自殺を遂げたのが納得できないのだろう。だから良くない表現だが、駄々を捏《こ》ねているのだ。諦められないから俺のところに来たのであって、具体的にどうするべきという計画性があるとは思えなかった。

「桑原さんは——どう思うんですか？」

　小坂が訊いた。

「私、ですか？」

「次は、自分の番だと思わないんですか？　桑原さんは暗示のことを仰った。あなたがそう仰るならそうなんでしょう。でも裏を返せば、そこにはやはり自殺の原因があるってことじゃないですか。すべてに決着をつけて、暗示を打ち消そうとお考えにならないんですか？」

　責められているような気がして、さすがに腹が立った。俺は私立探偵でも興信所の調査員でもないのだ。記事記事と簡単に言うが、俺が書いた記事を買ってくれるのは各社の編集部だ。それも現状アトランティスから口約束を取った段階に過ぎない。要するに何の保証もない訳だ。

　知里アシの背景を調べるのも、精治が殺された事件を探るのも、当然、それなりの労力を要する。仕事だから頑張れるが、この三人が俺に直接報酬を与えてくれるという訳ではない。

　別に金が欲しい訳ではないのだ。三人には同情する。だが所詮、赤の他人だ。こういう仕事をしていると、いろんな事件に触れざるを得ない。事故や殺人で理不尽に死んでゆく人たちが、この世にはいかに多いことか。だからといって、彼ら一人一人にいちいち感情移入していたら、ライターなどしていられない。

「あの、こういう言い方は失礼かもしれませんが、私に暗示を与えたのは、あなた方です。あなた方が現れなければ、私は自分が自殺するかもしれないなんて、これっぽっちも考えなかった。でもいいんです。私は自殺しません。したがって自殺の連鎖は終わります。それがあなた方の望みなんでしょう？　もっとも仮に自殺したって私は独身ですから、その同時刻に府中脳神経外科で目覚めた患者を探して警告する人はいませんが」

そう言って俺は軽く笑った。冗談のつもりだったが、もしかしたら知らず知らずのうちに彼らを馬鹿にしたニュアンスが含まれていたのかもしれない。三人は、特に小坂は――その表情の変化は僅かだったものの――厳しい顔つきになった。

「私たちを、助けてはくれないんですか？」

「助ける？　それはどういう――」

「大切な家族を失ったのに、警察に疑われて、傷ついている私たち三人をです」

傷ついている、か。

「酷なことを言うようですが、聞いてください。確かに、精治が最初に芦屋さん、次に小坂さんに付きまとったんでしょう。でもその時、あなた方は徹底的に無視をするべきだった。少なくとも会いに行くべきではなかった。そんなことをしなければあなた方は死体の発見者にならず、警察に疑われることもなかったのに」

「それは結果論でしょう?」

と入江が言った。

「もちろん、そうです。でもその時点で、亡くなられたのは芦屋さんのお子さんだけです。小坂さんの旦那さんが亡くなったのは、精治が殺された後なんです——小坂さん。あなたがそうやっていつまでも精治のことにこだわっているから、旦那さんが命を落とされたとは考えないんですか? それにどうして入江さんを巻き込んだんですか? その時点で、あなた方を悩ませているストーカーはもうこの世にはいないんですよ? 私は、あなた方が精治の遺志を継いでいるとしか思えない」

「——私が騒いだから、入江さんの奥さんは自殺したと仰りたいんですか?」

「酷い言い方だということは十分承知しています。でも、きりがないじゃないですか。先ほど申した通り、私は自殺しません。でもそれを記事に書いて、もし過去に府中脳神経外科に入院していて、今は私のように社会復帰をしている方が読んだら? そしてもしその方々の中に自殺者が出たら? マスコミによる暗示の拡散と言えるのではないでしょうか?」

彼らだって、どうしていいのか分からないのだろう。ただやり場のない、どこにぶつけていいのか分からない怒りを持て余している。それが大切な家族を失ったことが原因だから、こちらとしても強くは言えない。だが彼ら三人に必要なのは、俺のようなライターではなくカウンセラーではないか。

「桑原さんの記事を読んで自殺者が出たとしても、それは数の内には入りませんよ」

「数、とは？」

「だってそれは暗示を受けて自殺した人のことでしょう？　私の夫が自殺したのは、決して暗示ではなく、知里アシがそうさせたんです。芦屋さんの息子さんも、入江さんの奥さんも、みんなそうです」

自殺したのはもしかしたら別の問題があったのではないか。それを直視したくないから、すべて知里アシという霊能力者のせいにしているのではないか。

俺は暫く黙り込み、そして言った。

「アトランティスの話は断ろうと思います。自分から話を持ちかけておいて断るなんて無礼ですが、自殺の連鎖を防ぐためという理由なら、編集長の木根さんも納得してくれると思います。記事を書くとしたら、あくまでも知里精治殺人事件の一本に絞りたいと思います。事件を調べて、それで商業誌に載せるだけの価値ある記事を私が書けなかったとしたら、それまでだと思ってください」

これは彼らにとって文句のない話のはずだった。芦屋は警察の横暴を告発したいと思っているし、小坂は精治殺害犯に自分も狙われるかもしれないと脅えているのだから。

「知里アシの話は書かないんですか？」

と入江が訊いた。

「もちろん、動機に関係あるとしたら書きますが。実際問題、そういった背景がなければ読み物として面白くはならないでしょうからね」

「私の妻が自殺した件は？」

「精治が殺された事件と関連性があれば書きますが——現状はなさそうですね」

小坂が入江の妻に会いに行った時、すでに精治は殺されていたのだ。

「——妻の無念を、晴らしてはもらえないのですか？」

ふと思った。入江は小坂を憎くは思っていないのだろうかと。暗示と幽霊が同じものならば、入江の妻に知里アシの幽霊を取り憑かせたのは、紛れもなく小坂なのだ。

「WHOのガイドラインを持ち出すつもりはありませんが、やはり自殺報道は慎重にしたいです。どこかでケリをつけなければいけません。私が記事を書くことでそれが成されるのなら、喜んでやりましょう」

俺がそう言っても、三人は、特に小坂は不服そうだった。いったい何が不満なのか。先ほどの話では、精治を殺した犯人に命を狙われる不安があったなどと言っていたではないか。だからその件にかんして記事を書くと言っているのに——。

「あなた方は、ひょっとして」

そう言いかけた瞬間、三人は一斉に俺の方を見た。俺は思わず口をつぐんだ。だが三人は俺が言葉の続きを言うのを待っている。

仕方がないから、俺は言った。

「知里アシを信じているのですか？」

三人は俺のその質問の意味がすぐに分からなかったようだった。

「それは、いったいどういうことですか――？」

「いえ――ふとそう思っただけです。精治の殺人は添え物で、あくまでも知里アシの霊能力をメインに記事を書いて欲しいという態度のようでしたから」

知里アシの信奉者だからこそ、記事を書くことにこだわるのだ。数ヶ月昏睡状態だった家族が、急に目覚め、そして自殺した。その一連の出来事は、患者本人、そして家族にとって人生で二度とないカタルシスとなっただろう。俺が府中脳神経外科で目覚めた直後、いろいろな宗教団体の人間がやって来た。よくよく考えれば、最初に芦屋のところに知里精治が来たのはそれと同じようなものだったのではないか。

「ひょっとして知里アシの魂が乗り移ったからこそ、ご家族は昏睡状態から目覚めた――そうお思いなんですか？」

だとしたら、知里精治に付きまとわれて迷惑している、というニュアンスは事実とは少し意味が違ってくるのではないか。

小坂は乞うように俺を見つめて、

「そう思いたくもなります」

と言った。

「夫が突然あんなことになって、私はどれだけ絶望したか。夫と一緒に心中しようかと、何度も考えました。でも突然、夫は目覚めた。そんな時、精治がやって来たんです。もちろん最初は迷惑でした。でも確かに、知里アシの霊魂が乗り移って夫を目覚めさせたと考えると、すべての説明がつくように思ったんです。どんなに荒唐無稽な理由でも、理由は理由です」

さすがの小坂も、知里アシの霊能力云々を素直に信じてはいないようだった。だが、それでも、何の理由もないよりマシと考えているのだろうか。

俺は、どうだろう。

一度死んだ脳細胞は蘇らない。秋葉原で刺され、俺は激痛のあまり、失神した。だが暫く呼吸はできていた。こうして生きていられるのも、心停止してから救急隊がやって来るまでの時間が僅かだったからだろう。つまり運が良かったのだ。ただ、一度心臓が止まったのは事実だ。その瞬間から、徐々に俺の脳細胞は死んでいったのだ。

それなのに、どうして俺は、こうしていられる？

脳にはまだ科学で解明できない部分があるという。ならば科学を超えた超科学なら解明できるのではないか——そんな凡庸な考えに、オカルトに免疫が弱い彼らが取り憑かれてしまうのも、分からなくもなかった。

ただ、俺は考えた。彼らは、自分の息子、夫、妻が自殺したことと、昏睡状態から急に目覚めたことの、いったいどちらを重要視しているのだろうかと。

3

俺は三人から、彼らの住所を聞き出した。アトランティスに書くかどうかの最終判断は先送りにするとして、もし記事が掲載されたら雑誌を送りたいから、と説明すると、彼らは簡単に自分の住所を教えた。

入江には以前会っていたが、その時は彼一人だけだからなかなか気付き難《にく》かった。芦屋、小坂と一緒に会って感じた彼らの印象は、何らかの意図があって俺に会っているのだな、というものだった。精治が殺された後に、何故、入江を巻き込んだのか。そして何故、彼らは精治殺害よりも、知里アシの霊能力の方をメインにして俺に記事を書かせたがっているのか。

それらの謎は、三人が知里アシの信者であるという答えで、奇麗に説明できるのだ。だとしたら尚更アトランティスで記事を書くわけにはいかないだろう。オカルト専門のライターと見なされる云々よりも、あの三人に利用されて特定の霊能力者をプロパガンダする方が遥かに問題だった。

俺はまず、芦屋が住んでいる東京都日野市に出向き、彼の息子が柔道で怪我をした事件を調べた。妻と息子の三人暮らしだったようだが、一連の事件で妻は実家に帰ってしまったという。芦屋の自宅がある住宅街は、決して過疎というイメージではないが、しかし都心の住宅街に比べて開放的な印象を受けた。一つ一つの家の土地が広いという印象だ。同じ東京都でも、やはり地価は比較的安いのかもしれない。

地元では大事件だったようで、当時のことを知っている人間は大勢いた。何度も取材を受けているようで、ああまたかと、俺に不信感を抱く地元住人は皆無だった。記憶にないが俺自身、テレビ等で芦屋秋宗の事故のニュースを見聞きしたことがあったかもしれない。

小坂から芦屋秋宗の話を聞いた時は酷い事件もあるものだと憤慨したが、こうやって近所を聞いて回ると、そう単純なものでもなさそうだった。秋宗はグレていてたびたび両親に暴力を振るっていたようなのだ。学校でも恐喝、つまりカツアゲの常習犯だったらしい。俺は芦屋三郎の大きな身体を思い出した。あの父親に手を上げるのだ。どれだけ酷い不良だったか想像に難くない。柔道の授業で怪我をしたのは、体育教師がお灸を据えた、という意味もあったらしい。それで、やり過ぎてしまった。

体育教師を擁護する声は少なくなかったものの、やはり授業で生徒が昏睡状態に陥るほどの大怪我をさせた責任はいかんともし難く、また普段から体罰の常習犯であったため、学校をクビになってしまった。そして秋宗への慰謝料の支払いでその人生を破綻させてしまったと言う。

これは想像するしかないが、もしかしたら芦屋は自分の息子が昏睡状態に陥って喜んだのではないか。自分は哀れな被害者家族として、不良の息子から逃れられるのだから。どうせ治療費は体罰を与えた体育教師が出すのだ。経済的な負担も少ない。

だが、彼は目覚めてしまった。目覚めた直後は、暴力を振るう元気などなかっただろう。身体を動かすことも、コミュニケーションすらままならないのだから、それ以前の話だ。俺自身そうだったからよく分かる。しかしいずれ回復する。そしてまた息子の暴力を受ける日日が始まる。そんな折り、彼の元に精治が現れた。彼を目覚めさせたのは自分の妹のアシだ。目覚めさせたのだから、もう一度眠りにつかせることもできる。そう囁いた。そしてその通りになった。秋宗が自殺することによって——。

どうやって精治が秋宗を自殺に追いやったのかは分からない。そんなことが可能なのかも。

でもし精治の言った通りに秋宗が自殺したとしたら、確かに芦屋にとって精治は、引いては知里アシは信仰の対象になっただろう。

　俺が探りを入れていることが発覚するのは拙《まず》かったので、芦屋家を訪問することはせず、遠くから眺めるだけに止《とど》めた。ゆったりとした家々が多い住宅街の中でも、ひときわ大きな庭を持った平屋建てが芦屋家だった。年季が入っていそうだが、庭の草木など奇麗に手入れされていて、小汚い印象は受けない。息子の秋宗は死に、妻も実家に帰ってしまったというから、一人でここで暮らしていたのか、と思うと感慨深かった。

　次に小坂だが、彼女は神奈川県横浜市中区、いわゆる山手の高級住宅街に住んでいた。この手の土地に住む人々は、フリーランスのライターなど警戒してろくに話も聞いてくれない。正直言って、やり辛い場所だった。下手をしたら警察に通報される可能性もある。それより問題なのは、小坂の人となりをあちこちに聞いて回ったら、その事実がすぐに彼女の耳に伝わってしまうことだ。芦屋の場合は、ある程度ニュースになっていて、マスコミが芦屋のことを聞いて回るのは日常茶飯事だから、俺も比較的安心して取材ができた。だが脳溢血で倒れるのは確かに悲劇だが、マスコミが大挙して押し寄せるようなニュース性はない。

　だから俺は入江に話を聞くことにした。彼らが知里アシの信徒だとしたら、入江はまだ比較的日が浅い。元からの性格もあるだろうが、一番コミュニケーションをとりやすいタイプの男だ。それとなく訊けば、喜んで小坂について知っている話をしてくれるだろう。俺と入江は以前も二人だけで会って話をしているから、小坂に不審がられることもない。ついでに入江自身のことも訊いてしまえばいい。

電話をかけて、記事を書くので知里アシが具体的にどんな霊能力を持っていたのか、知っている範囲でいいから教えてくれ、と頼んだ。

『うーん。私も、芦屋さんと小坂さんから精治のことを聞いただけですから、詳しい事は分からないのですよ』

そう答えるのは予想していた。

「芦屋さんと小坂さんから、何か聞いていませんか？　いえ、お二人に直接訊こうと思ったのですが、私が直接行くより、やはり入江さんに間に入ってもらった方が、話がスムーズに進むと思いまして」

『そうですか？』

入江は不思議そうな声を出したが、しかし頼りにされてまんざらでもない様子だった。

「先日、住所を教えてもらいましたが、小坂さん、横浜の山手にお住まいなんですね。小坂さんの旦那さんは、きっと大企業にお勤めだったんでしょう。高給取りじゃないとあんな土地には住めない。それなのにこんなことになってしまって、本当にお気の毒です」

入江は少し笑った。

『高給取りじゃなければ、死んでも気の毒じゃないと？』

俺も少し笑った。

「言葉の、綾です」

『そうですか。まあ以前、三人でお酒を飲んだ時、小坂さんぽろっと、離婚する前に死んだから財産が全部自分のモノになって良かった、と言ってました。もちろんお酒の席での冗談でしょうけど。でも、そういう冗談を言えるぐらい、小坂さんも旦那さんを失った悲しみから立ち直っているんでしょう』

「小坂さんと、直人さんの夫婦仲はどうだったんでしょうね」

『さあ――私には。普通じゃないんですか？　亭主元気で留守がいいってよく言うでしょう？　でも私だって、妻が亡くなって初めて、あいつにどれだけ助けられたか知ったんだ。きっと小坂さんも同じだと思います』

俺は聡美のことを思い出した。一緒にいる時は特に考えもしない。そこにいるのが当たり前だから。こうして失った今は、彼女のことを思い出さない日は一日たりともない。

だが、それでは俺の推理は成立しない。芦屋親子のように、小坂も昏睡状態から夫が目覚めるのを喜ばしく思っていなかった。そこに精治が現れ、夫を自殺に追いやった。芦屋の時は、まだ精治が何らかの方法で息子を自殺させたという可能性もなくはないが、今回は間違いなく知里アシがやったのだ。何故なら、小坂の夫が自殺した時、既に精治は殺されていたからだ。

その結果にいたく感激した小坂は、芦屋同様、知里アシの信徒となった。それで彼女の遺志を継ごうとした。だからわざわざ入江を探し出して会いに行った。離婚する前に死んだ云云は、小坂の本音だった——予《あらかじ》め想定していた結論を導き出すための都合の良い推論であることは百も承知だ。だが、この三人がある種の結束で動いているのであれば、三人に何らかの共通点があると考える方が自然ではないか。

「入江さんは、あのお二人と、どれくらいの頻度で会っていらっしゃるんですか？」

『頻度？ 週に一度程度ですか。でも最近みんな携帯のメールをようやく使いこなせるようになったので、連絡自体は毎日のように取り合っているかもしれません』

俺はわざとらしく咳払いをして、

「差し支えなければ、何故そんなに会っているのか、お教えいただけませんか？」

と言った。

『別に——会うのに理由はいらないでしょう？ みんな家族を亡くしているんだ。この間の新横浜のように、会って食事をする程度です。それだけでも心が休まります』

「そうですか」

知里アシの写真を拝んでいるのではないですか——？　と訊きそうになったが、止めた。もし彼らが本当に知里アシの信者ならば、精治は彼らに殺されたのではないか、という疑惑が否定できなくなるからだ。アリバイの問題だって、殺人の時点で入江が彼らの仲間であるのなら、あるいはそれ以外のメンバーが存在するのであれば、簡単にクリアできる。

もし、彼らの犯罪を暴いたら、俺も精治のように殺されてしまうかもしれない。彼らが犯人である証拠はどこにもないが、この三人には不審な点が多過ぎる。

「いえ、もしかしたら、知里アシについて、何か情報交換をしているのではないかと思って。そういう情報をお持ちなら、私にも教えてください」

軽い気持ちでそう言ったのだが、以外にもシリアスな答えが返ってきた。

『私たちは遺族です。でも銀次郎さん、あなたは違います。あなたは言ってみれば——芦屋さんの息子さんや、小坂さんの旦那さんや、私の妻と同じ人です。プライベートで親睦を図ろうなんて、おこがましいです」

一瞬、俺が彼らと付き合うのがおこがましい、と非難されているのだと思った。

違った。彼らが俺と付き合うのがおこがましい、と入江は言っているのだ。

「そうは言っても、この間は新横浜で芦屋さんと小坂さんに紹介してもらったじゃありませんか」

『あれはちゃんとした集まりです。私たちの集まりは、本当に遊びの集まりなんです。銀次郎さんを連れてこられるような、大層なものじゃない』

数秒黙って、そして訊いた。

「あなたたちは、私も自殺すればいいとお考えなんですか？」

『いえ、そんなことは』

入江は言葉を濁した。

確かに精治は彼らの手にかかって命を落としたのかもしれない。だからと言って、俺も彼らに殺されるとは考え過ぎか。彼らが知里アシの信奉者だとしたら、俺が自殺したほうが都合が良いのだ。その方が連鎖が続くのだから。

そして連鎖を止めるには、俺が自殺しなければ良い、ただそれだけのこと。

彼らにとって、俺が今、正に知里アシなのだ。だからこそ、遊びの集まりに気安く呼ぶにはおこがましい、と彼は言っているのだ。

「分かりました」

そう俺は言った。そしてやや唐突に、

「時に、入江さん。一度奥さんにお線香を上げに伺いたいのですが」

『あいつに？』

「はい。もちろん、入江さんは最初に私のところに来てくれた方ですから。それくらいしないと」

『いや、いいですよ。そんなのは』

迷惑というよりも、それこそおこがましい、といった口調だった。

「あいつはそんな、あなたに線香を上げてもらうような女じゃないんです。確かにいなくなって寂しいことは寂しいですけど、いい歳こいて若い男に色目を使ってどうしようもなかったから、生活が穏やかになったと思えばいいんです」

その入江の言葉がすべてだった。うっかり口が滑ったのだろうが、やはり入江も昏睡状態からの妻の目覚めを快く思っていなかったのだ。

俺は礼を言って電話を切った。そして今後の方針を真剣に考えた。

彼らは知里アシの信奉者だ。そう考えると、すべての謎が解けるのだ。よくよく考えれば、彼らの、息子も、夫も、妻も、府中脳神経外科を退院した直後は、病み上がりで心が弱っていた筈だ。俺もそうだからよく分かる。そんな状態なのだから、親族ならば、彼らが自ら死を選ぶように操る事は比較的容易《たやす》いのではないか？　毎日暗示を与え続けられるのだから。

そして彼らも、俺を自殺させようとしている。それは本来、家族の役割だが、俺は独り者だ。だから入江がやって来た。
そもそも、何故俺が選ばれた？

知里アシ
芦屋秋宗
小坂直人
入江和子
桑原銀次郎

この五人は、前の人間が死んだのと同時期に、府中脳神経外科で目覚めたという、極めて曖昧模糊とした理由で選ばれている。あくまでも同時、ではなく、同時期だ。つまり恣意的に選んでいるのは間違いない。自殺者が続くイコール、知里アシの魂も続いてゆくという理屈だ。だから彼ら信奉者は延々と自殺者を出し続けなければならない。
最初の知里アシは置くとしても、他の三人には結婚して家族がいる。だから芦屋三郎が小坂直人を見つけ、小坂恵美が入江和子を見つけ、入江太一が俺を見つけた。実際は小坂恵美は芦屋三郎と、入江太一は前の二人と協力しただろうが、それは本質的な問題ではない。だが俺は独り身だ。つまり俺が自殺した後、次の人間を探す者がいないのだ。もちろん、あの三人が俺の次を探すのならそれはそれで問題がない。しかしそれだと今までのパターンが崩れて美しくない。どうせ知里アシの次の候補者は曖昧な理由で選ばれているのだ。俺などではなく、ちゃんと家族のいるものを選べば良かったではないか。

言うまでもなくそれは俺に、彼らがパターンを崩してでも桑原銀次郎という男を巻き込みたいアドバンテージがあったからだ。ライターを仲間に引き入れ、記事を書かせれば、知里アシの名前は世間に広まるだろう。彼らはそれを狙っているのだ。家族がいる前の三人に比べて、独り身の俺を自殺に誘導させることは難しいと思うのだが、彼らには何か考えがあるのだろうか。

とにかく、俺はこの件からもう手を引こうと思った。やはり暗示によって自殺が連鎖するのは間違いなかった。それどころか、意図的に家族を自殺に追いやっているふしも見受けられるので、余計に悪質だ。むしろ週刊標榜で彼ら三人を告発する記事を書いてやりたいが、事件としては抽象的過ぎて編集長の中田は取り合ってくれないだろう。それに何の証拠もないのだから、下手をしたら名誉棄損の恐れもある。

俺はアトランティス編集部に出向いて、木根に正式に謝罪をした。知里アシの件は忘れてくれと頭を下げた。最初こそ、木根は何故俺が急にそんなことを言い出すのか不思議そうな顔をしたが、事情を順を追って話すと止むをえないといった表情になった。

「まあ、銀次郎さんがそうお考えながら、仕方がないですね。でも変だな」

「変、とは？」

「あれから私も知人のライターに知里アシのことを訊いてみたんですが、知っている人間は誰一人としていなかったんです」

俺は頷いた。

「私も先日伺ったときアーカイブを検索させてもらいましたが、ヒットしませんでした」

「つまり霊能力者として、本を出しているとか、金を取って何らかの活動をしていたとか、そのような事実は一切ないってことです。それで商売をしていたら、絶対に我々も気付きますよ。金を取るってことは、それなりにその能力には信憑性があるってことですからね。つまり自分で、もしくは精治という兄が言っているだけの、自称霊能力者と判断せざるを得ない。でも、そんな人間を、どうしてその三人は崇め奉るんでしょうね？　銀次郎さんの推理によると、家族を自殺に追いやるほどの強烈な信仰心を持っているんでしょう？」

「やはり昏睡状態から目覚めた家族が、次々に自殺したことが関係しているんじゃないでしょうか」

「知里アシが身体から身体に乗り移るたびに、古い身体は自ら命を絶つってことですね。でも銀次郎さんの話では、家族自身が暗示を与えて自殺させたそうですが」

「自殺させる意思はなかったかもしれません。ただ知里アシが自殺させると信じていた。そういう態度で接したから、それが暗示となって本当に自殺してしまった――特に小坂直人と入江和子の自殺は精治の死後ですから、そう考えざるを得ません」

入江和子にかんしては、精治と会ってもいないのだ。つまり入江の時点で、知里アシという霊能力者のシステムが完成したと言っていい。それをプロパガンダさせるために、彼らは俺を四番目の身体として選んだのだ。それを考えると、尚更利用されるわけにはいかない。

「でも、気をつけてくださいね」

と木根が言った。

「何がです？」

「こういう雑誌を作っている私が言うのも変かもしれませんが、信仰心の篤い人っていうのはしつこいですからね。銀次郎さんが手を引くと言っても、向こうは素直に納得しないかもしれない。知里アシの名前を世間に広めるために、ライターのあなたを選んだのだとしたら、尚更でしょう。しかも人が死んでいる。皆自殺と言っても、一人は刺し殺されているんだ。もし銀次郎さんがこの話から降りたら、あなたにも危害が及ぶかもしれない。あの三人の裁量で知里アシが乗り移った人間を決めるのだとしたら、銀次郎さん以外にも代わりは沢山いるって理屈です」

「――そっちの心配はしていません。多分、大丈夫でしょう。もし大勢の自殺や、精治の殺人事件にあの三人がかかわっているとしたら、とっくに検挙されてます。今の科学捜査は凄いですからね。自殺に見せかけて殺すなんてことは、そうそうできませんよ」

母が殺された際に、実際の警察の捜査を見聞きした俺はそう言った。もちろん、今までの事件とは無関係に、三人のうち誰かが急にカッとなって俺に襲いかかるという可能性はあるのだが。いずれにせよ、面倒なことにかかわってしまったというのが正直なところだった。最初に入江太一が俺にコンタクトをとってきた時に、関心がないと追い返すべきだったかもしれない。

記事を書けないことをもう一度謝罪してから、俺はアトランティスの編集部を後にした。この仕事から手を引いたことは当然の決断だと思うが、金が入らないことには違いない。週刊標榜の中田に会って、今後のことを相談しようと思いながら歩いていたその時、後ろから俺を呼び止める声がした。

振り返ると、そこにいたのはアトランティスのバイトの竹田杏菜だった。

「知里アシのことは諦めたんですか？」

「また聞いていたんですか？」

俺は苦笑しながら言った。杏菜は俺の質問には答えず、

「私、あれから例の友達の知里姓の知人に連絡して、アシって人のことを訊いてみたんです。そしたら、桑原さんと電話で話したって」

と言った。

「本当ですか？　知里百子さん？」

杏菜は頷いた。あくまでも知里百子は杏菜の友達の知人だ。友達の親戚だか何なのか詳しいことは忘れてしまった、と言っていたがその友達を当たったのだろう。

「百子さん、桑原さんのことを気にしていましたよ。どんな顔をしてるのって？　写真を送ってくれとも言われました」

「写真なんて止めてくださいよ。でも、どうして？」

「桑原さん、声がいいし、しかも下の名前が銀次郎でしょう？　勝手に石原裕次郎みたいな昭和の俳優をイメージしたようなんです」

俺は苦笑せざるを得なかった。

「私はもっと今風のカッコいい人ですよ、と説明したんだけど、やっぱり百子さんは若い頃憧れたスターの方がいいって」

どうでも良かった。そんなことで俺を呼び止めたのか、と憤りすら感じた。

「そうですか。じゃあ」

と俺は愛想笑いを浮かべて頭を下げ、そこから立ち去ろうとした。

「あ、待ってください」

「まだ、何か？」

「本当に知里アシの記事を書くのは止めるんですか？」

「木根さんとの話を聞いていたなら分かるでしょう？　三人の目的が今後も知里アシが取り憑いたから、という名目で自殺者を増やすことだとしたら、そんなことには協力できない」

「そうですか――」

何だか残念そうに杏菜は言った。何故そんな声を出すのだろう。俺がどんな仕事をしようが、杏菜には関係ないではないか。

「桑原さん、百子さんに何度連絡しました？」

「一度だけですが」

「そうですか。その時も、長い時間話した訳じゃないですね？」

「まあ、そうですけど――」

「この後も、他社さんとのお仕事があるんですか？」

「え？　いや、正直言ってないんです。だから今から週刊標榜に仕事を回してくれないか頼みに行こうと思ったんです」

　杏菜は憮然とした顔をした。

「なら知里アシの記事を書けばいいのに」

「それはさっきも言ったでしょう？　あの三人に都合良く使われる訳にはいかないんだ」

「じゃあ、あの三人を告発する記事を書いたらどうです？　桑原さんは誤解されているようですが弊誌は超常現象を何でも肯定して無批判で載せたりはしません」

「そうなんですか？」

「そうです！」

　心外と言わんばかりに、杏菜は大きな声を出した。

「超常現象を検証する、というスタイルでも記事は書けるんじゃないでしょうか？　私は桑原さんのお話を聞かせてもらっただけですけど、仮に桑原さんが手を引いても、その三人は第二、第三の桑原さんを見つけだすだけじゃないでしょうか？」

　それはそうだ。だが俺が手を引くのは、良心のため、というのも勿論だが、何かあった時に責任を負いたくないという気持ちが大きかったからだ。自殺だから大きな問題になっていなかったが、万が一この一件がマスコミで大きく取り上げられ、批判されたら、俺にも間違いなく火の粉が飛ぶ。その時、知里アシを持ち上げる記事など書いていたら、俺はこの業界から追放されてしまうかもしれない。

「どうしてあなたは、私にそんなに知里アシの記事を書かせたいんです？」

　杏菜は、少し戸惑ったような笑みを浮かべた。

「こんなことを言っても仕方がないかもしれないけど、私、マスコミ志望なんです。オカルト雑誌でバイトしていたことが、必ずしも就職に有利になるとは限らないと思いますが、少なくとも出版業界に携わることはできます」

　何となく見えてきた。杏菜は知里アシの事件を大々的に世間に広めて、就職の足がかりにしようというのだ。

「私の知人――高校時代の友達なんですけど、その子、北海道から越してきて、百子さんのことをよく話してくれました。やっぱり珍しい名前だから印象に残っていたんです。でも桑原さんが現れるまで、その人のことなんて忘れていました。やっぱり私、スクープってそういう時の運が関係していると思うんです」

「確かに、知里という姓が北海道に多いのを教えてくれたのはあなたでした。そこから私は知里百子さんのことを見つけ出すことができたんです。私にとっても運が良かった」

　そう言って俺は微笑んだ。杏菜も満更ではない顔をした。初対面の時は愛想が悪いと思ったが、あの時はお互い初対面で緊張していたのかもしれない。

知里アシも、芦屋秋宗も、小坂直人も、入江和子も自殺した。もし彼らが意図的に自殺に追いやられたという物的証拠が出てきたら、これは史上稀に見る凶悪犯罪だ。週刊標榜で取り上げるに値する。

俺は少し考え、

「お仕事は何時に上がりますか？」

と訊いた。知里アシの記事を書くのは止めると決意したばかりだが、あの三人の企みを暴いて記事にできるのであれば、その限りではなかった。

夕方、俺は品川駅近くの喫茶店で、杏菜と落ち合った。こうして会社の外で会っていると、本当に初々しさがまだ残る女子大生という印象を受ける。

「やはり知里という姓の人々は、大体皆親戚なんでしょうか？」

「必ずしもそうとは言えないみたいですが、でもほとんど北海道出身みたいです。北海道は広い土地ですけど、そこに知里さんが集中していると思ったら、なんだか狭く感じます」

俺は頷いた。

「友人が、百子さん、いきなり桑原さんが電話をかけてきたから、驚いて上手く話せなかったと言っていました。電話を切ってから、いろいろと思い出したけど、連絡先を聞かなかったって残念がっていました」

「そんなに、私の喋り口調が昭和スターっぽかったんですかね」

冗談で言ったのだが、杏菜はいたって真剣だった。

「桑原さん、百子さんに海の近くの松の木について知りませんか？　と訊ねられましたよね。その時、百子さんは知らないと答えてしまったそうですけど、確か知里アシさんは木の枝で首を吊ったと聞いていたそうです。その木が、もしかしたら松だったかもしれないと。警察に一度聞かされただけだから、木の種類までは記憶が曖昧だそうです」

「あ、思い出したというのは、それですか」

「必要ありませんでしたか？」

「いえ、どんな些細なことでも助かります。ありがとうございます」

と俺は言った。たとえマスコミ業界に就職するために俺のコネを狙っているのだとしても、協力してくれる人間を邪険にはできない。

「知里アシの魂に取り憑かれたと主張して自殺した人々のうち何人かが、松の木の夢を見ているんです。もしかしたら彼らも事前に、知里アシが松の木で自殺したと誰かに教えられたから、そんな夢を見たのかもしれませんね」

俺も見た、ということは言わなかった。

「暗示ですか？」

「恐らくそうでしょう。当人が自殺した現場の光景を見たから、その人物の魂が乗り移ったという理屈にはなりません。海岸の松の木なんて、極めてありふれた光景です。誰もが想像しやすいんでしょう。だから夢も見る。本当に霊魂の正体を信じるなら、夢の絵を描かせて比較するぐらいのことをやらなければ、意味がありません」

杏菜は頷いた。

「百子さんは、知里アシが首を吊って自殺を図ったことをご存じなかったんですね。それどころか府中脳神経外科で亡くなったことも、恐らく精治が死ななければずっと気付かないままだった。警察が百子さんに、知里アシの自殺未遂の詳細を説明したのは、大分時間が経ってからということになる。松の木云々の説明がおざなりになっても仕方がなかったかもしれませんね」

「多分、そうだと思います。北海道で事件が起こったんだから、親戚の耳に入ってもいいはずと思ったんですが。考えてみれば自殺未遂は事件性が薄いから、いちいち親戚に言わなければいくらでも隠しとおせるんでしょうね」

「北海道で事件が起こった？」

俺は思わず聞きかえした。

「知里アシは北海道の海岸で首を吊ったんですか？」

「ええ、百子さんはそう言っていたようです。それが何か？」

「いいえ――決定的に矛盾している、という訳ではないんです。ただ、北海道で自殺未遂をして昏睡状態に陥った人間が、病院をたらい回しにされたあげく、最終的に府中の病院で死ぬってことはありえるのかな、と思って」

だから俺はずっと、アシは東京で自殺したものだとばかり思っていたのだ。

「そう言われてみれば、そうですね――でも、鉄道も飛行機も、今はどこも身体の不自由な方に親切ですから。新千歳で飛行機に乗せてしまえば、もう距離なんて関係ありません。日本中、どこの病院にも行けます」

「もちろん、それはそうなんです。でもいろいろな人たちの話を総合して考えるに、精治はそれほど裕福には思えません。興行師をやっていると言っていましたが、どこまで本当か分かりません。定職についていなかった可能性もあります。もちろん治療費などは保険がききますし、手術などお金のかかる治療を受けた場合、高額医療費を請求するという方法もあります。だけど転院する際の交通費や宿泊費の一切は自費です。寝たきりの患者を飛行機に乗せるのだから、十席程度は座席を確保する必要があるのではないでしょうか。大変な出費です。もちろん付き添う精治の座席も必要ですし、医師や看護師を同行させるとなったら、座席だけではなく彼らの日当も払わなければなりません。フリーランスの私には気の遠くなる値段です」

　と俺は大げさに言った。

「果たして、そこまでして府中脳神経外科に転院させなければならない理由があったのでしょうか？」

「いや、でも、お話によると精治さんはアシさんのことを大事にしていたそうじゃないですか。もしその府中脳神経外科がたとえば蘇生後脳症にかんして、他の病院にはない技術を持っているとしたら、やはりお金を奮発してもそこに入院させたかったんじゃないですか？　お金がかかると言ったって、せいぜい数十万程度のことでしょう？」

「まあ、それはそうですね」

　適当に相づちを打って、俺はグラスの水を飲んだ。

　府中脳神経外科が特に優れた病院であるという評価を、俺は今の今まで誰からも聞いたことがなかった。リハビリのため病院中を歩き回ったが、特別な設備のある病院という印象も受けなかった。退院後は紹介状を書いてもらって、中野近くの総合病院に通院しているぐらいだ。むしろあちこちたらい回しにされて、最後に行き着くような場所ではないか。そこで駄目だったら、在宅介護に切り替えるしかない、という類いの。

　聡美がそんな場所に俺を紹介するはずがない——と単純に考えられないのが辛かった。聡美は俺を恨んでいるはずだ。たとえ表面上は穏やかに話していたとしても、俺たちは一度結婚して、そして離婚をした。そこには言葉に尽くせぬほどの軋轢が存在する。聡美が俺を恨んで、島流しのように府中に俺を送ったとしても、決して不思議ではなかった。

「精治は北海道から都内のアパートに越してきています」

「殺された部屋ですね」

「そうです。東京で暮らすのにも金がかかる。家賃は北海道の方が安いでしょう。しかも彼らは生まれも育ちも北海道だから、もしかしたら両親が死んだ後も、ずっと実家で暮らしていたのかもしれない。そうしたら家賃はタダです。兄妹が北海道から東京に来るだけで、それなりのお金が動いています。定職についていない者にはやはり負担でしょう」

「どういうことでしょうか？　資金を提供した人間がいたってことですか？」

あの三人の顔が真っ先に浮かんだ。芦屋三郎、小坂恵美、入江太一。彼らは知里精治の方から自分たちに付きまとってきた、と言っていたが、本当は逆なのではないか。少なくとも最初の芦屋は、兄妹と面識があった。そして息子が事故で昏睡状態に陥ってしまい、神頼みのような気持ちで北海道から呼び寄せた。付きまとわれたと俺に嘘をついたのは、新興宗教の信徒のように知里アシを崇め奉っているのが知られたら、俺が警戒すると思ったからだ。

あくまでもライターの俺に記事を書かせるのには、霊能力者の家族にストーカーされている被害者を演じた方が都合が良いと考えたのだ。

だがそう考えると、芦屋三郎が不良の息子の秋宗に手を焼いていた、という事実と矛盾するような気がする。もしかしたら、三郎は息子を目覚めさせることではなく、死なせることを兄妹に期待したのか。実際、秋宗は目覚めた後に自殺した。いや、たとえ息子が不良であれ、その死を望む親などいないだろう。少なくとも最初は、息子の全快を祈って、兄妹に接触したのか――。

どうであれ、今の段階では俺の推測の域を出ない。ただ、あの三人とは腹を割って話す必要があると感じた。

「竹田さん」

と俺は改まって言った。

「はい」

「次に私が三人と面会することがあったら、同席してくれますか？」

「私が、ですか？」

「はい。精治殺害にあの三人がかかわっている確証はありません。でも、やはり記事を書くのを諦めると言ったら、何をされるか分かりません。できるだけオープンな場所で、まったくの第三者が同席していれば、彼らも迂闊に私に手を出してはこないでしょう。しかも記事を載せてもらうつもりで会った出版社の人ですからね。彼らも一縷《いちる》の望みをかけて食い下がってくるかもしれない。そこに隙が生じるかもしれない」

要するに、命を狙ってくるかもしれない狂信者の集団との面会に同席しろ、というのだ。とんでもないと拒否されるかもしれない。

でも杏菜は予想に反して、

「本当に？　いいんですか？　お仕事の場に同席させてもらって」

と無邪気な子供のように言った。

「ええ。正直、こういうことを頼めるのは誰もいなくて。仕事の仲間も助手もいなくて、ずっと一人でやってきたから」

ふと、前の仕事で知り会った女性が頭に浮かんだ。天真爛漫な女性だった。後にまだ若くして認知症を患っていると知った。昏睡状態にあった時、見舞いに来てくれたこともあるという。彼女はまだ聖蹟桜ヶ丘にいるだろうか。無性に彼女に会いたかった。彼女を三人に会わせるという案もなくはなかったが、途中で素っ頓狂なことを言い出さないとも限らない。ここはやはりバイトといえどもアトランティスに籍を置いている、杏菜の方が適任だろう。

「でも不思議ですね。桑原さんが出会った三人の言っていることを裏付ける客観的な証拠がほとんどないなんて。三人が嘘をついていたとしたら、結局桑原さんは騙されていたということになりますね」

「そうまでして、知里アシという女性の存在を世の中に広めたかったんでしょう。そんなことをして、いったい何の得になるのか——。信心が篤い人間の気持ちは分かりません」

「もしかしたら、知里アシが府中脳神経外科に入院していたというのも嘘なのかもしれませんね」

本当に何気ない調子で、杏菜は言った。深い考えなどない言葉だろうが、妙に心に残った。

冷静に考えれば、知里アシが府中脳神経外科に入院していた証拠は現時点では何もないのだ。やはり知里アシは北海道で自殺し、北海道で死んだのではないか。府中脳神経外科で芦屋、小坂、入江の三人が出会い、どこで知ったか分からないが、北海道で死んだ霊能力者の知里アシを崇め、そして世間に広く伝えるために、偶然同じ病院で目覚めた俺に声をかけたのではないか——。

「知里アシって人は、本当にいたんですよね？」

と俺は訊いた。杏菜は笑った。

「いますよ！　いえ、私は知りませんけど、百子さんがそう言っているんだから。嘘をつく理由はないです」

「確かに」

俺は頷いた。取りあえず、杏菜と連絡先を交換し、俺は彼女と別れた。どこか楽しそうなのが気掛かりだった。彼女は俺のことを今風のカッコいい人、などと言っていた。だが、さすがに一回り以上も年下の女性にそんなことを言われて舞い上がるほど、俺は青くはなかった。それよりも気掛かりなのは、彼女が本当にコネ欲しさで面白半分に首を突っ込もうとしているのではないか、ということだった。

こういう仕事をしていると、おかしな人間に沢山出会う。結果、可愛い甥っ子を死なせかけたり、自分自身刺されたりした。そういうことは木根に面会した際、一切言わなかったから、彼女も知らないのだ。おかしな人間という意味では、今回はトップクラスと言っていいだろう。霊能力者を信奉する人々。また誰かを傷つけなければいいのだが、と俺は思った。

店を出てすぐに、俺は府中脳神経外科の事務局に電話をした。入院患者だった桑原という者ですが、と告げると、

『診察をご希望の場合は、予約センターに電話をしてください』

と素っ気ない中年女性の声が返ってきた。

「いえ、そうではないんです。そちらに入院していた患者さんのことについてお訊ねしたいんですが」

『どういったご関係ですか？　患者さんの個人情報はお伝えできないことになっています』

そう返されるのは予想していた。だがもう名乗ってしまっていることだし、知里アシの親族だと嘘をつくのも後々面倒なことになりそうだった。

「実は私の入院中に、知里アシさんのご家族の方が、私の家族を通じて花を贈ってくれたようなのです。ぜひお礼の手紙を送りたく、お電話いたしました」

『あの、そう申されても、規則で決められていますので』

「では、知里アシさんのご家族の方に私の連絡先をお伝えできないでしょうか？」

数秒の沈黙の後、

『読みは、チリ、アシさんでよろしいですね？』

「はい」

『生年月日はお分かりになりませんか？』

「すいません、そこまでは――」

ほとんど聞き取れないぐらいの小さなため息を女性は漏らし、

『ちょっとお待ちください』

と電話口を離れた。ありふれた保留音のメロディーを聞きながら、俺は、知里アシがこの病院の入院患者でなければいいな、と考えていた。その証拠を摑めれば、あの三人を正々堂々と追及できるからだ。

数分後、再び、あの女性の声が聞こえてきた。

『お待たせしました——知里アシさんの、読みはチリ、アシさん、でよろしいですね』

「はい」

と俺は言った。すると、果たして期待通りの答えが返ってきた。

『そのような方は記録に残っていませんが』

「本当ですか？」

『はい、他の方とお間違いではないですか？』

知里アシは府中脳神経外科の患者ではなかった。この時点で、三人の話は極めて信用ならないということになる。期待通りの答えだったものの、何だか俺は腹が立ってきた。こんなデタラメな話に、俺は今日まで振り回されてきたのだ。知里アシが府中脳神経外科に入院し、そこで死んだことがデタラメなら、あの三人の家族が患者という話も怪しくなってくる。

「おかしいな。芦屋秋宗さんのお父さんに聞いたんだけどな」

と俺は嘯いた。

『芦屋秋宗さんというのも入院患者さんだったんですか？』

「ええ。柔道とは名ばかりの体罰でしごかれて、頭部に外傷を受けてそちらに入院したんです。酷い話です」

『ああ、あの子！』

女性は大きな声を出した。

『マスコミで騒がれていましたからね。ここにも雑誌の記者がやって来ましたよ。でも、連絡先はお教えできませんよ』

「いえ、私が知りたいのは知里アシさんの連絡先ですから。分からないのなら仕方がないな——もう一度こちらで確認してみます。お手数をおかけしました」

俺は電話を切った。そしてすぐに入江太一に連絡した。どこかのんびりとした緊迫感のない彼の声が、俺の憤りに輪をかけた。俺は少し強い口調で早急に会いたいと告げた。


俺の口調にただならぬモノを感じたのか、入江はその日の夜に俺の住む中野にやってきた。駅近くのビアガーデンに案内すると、いやあ嬉しいなあ、などと暢気に言った。こんな場所を選んだのも、開放的で周囲に無関係の人々が沢山いるからだ。それ以外の理由はない。

しかし意外だったのは入江の反応だ。もし彼に後ろめたいことがあるなら、俺の様子でそれがバレたと考えても不思議ではないはずなのに。彼は俺がなぜ機嫌が悪いのかまるで分からない様子なのだ。これが芝居だったら、入江は物凄い役者だ。

キンキンに冷えたジョッキを持ち上げ、口に運ぼうとした入江に、俺はやや唐突に言った。

「入江さん。あなたは私を騙しましたね」

「はい？」

ビールを飲むタイミングを外され、彼は心外だと言いたげな声を発した。

「あなたはわざと嘘をついたんですか？　それともあなたも騙されていたんですか？」

「ちょ、ちょっと待ってください。いったい何を言っているんですか？」

「知里アシですよ。私は府中脳神経外科に問い合わせて確かめたんだ。そんな患者は入院していない」

「え――」

文字通り、入江は絶句した。

「私を除けば、あなたがあの三人の中で最も新しいメンバーだ。現にあなただけが知里精治と会っていない。だからもしかしたら、あなたも芦屋さんや小坂さんに騙されている可能性がある。いいですか？　確かに知里アシという女性は存在していました。これは知里兄妹の親戚を見つけて確かめたから事実です。精治は自称興行師だそうです。だから少なくとも知里アシは自称霊能力者であったことは確かなのかもしれない。でもいずれにせよ、知里アシは府中脳神経外科病院とは何の関係もなかったんです。北海道で死んだ知里アシの魂が、まったく関係のない芦屋さんの息子さんを目覚めさせたと言うんですか？」

「い、いや、私にはよく分からない」

入江はビールを飲むのを止め、わざとらしくハンカチで顔の汗を拭き始めた。

「入江さん。失礼なことをお尋ねしますが、奥さんにかんする話は本当ですか？」

質問の意図が分からないようで、入江は俺の顔を見た。

「交通事故に遭い、府中脳神経外科に入院したという話は本当ですか？　という質問をしているんです」

「それは本当です！」

入江は叫ぶように言った。自殺したというのは本当ですか？　という質問をしなかっただけ、ありがたいと思って欲しかった。

「知里アシが府中脳神経外科の患者でなかったことは簡単に分かりました。患者の個人情報を外部に進んで漏らす病院は少ないと思うので、二の足を踏んでいたのがいけなかった。さっさと電話をするべきだったんです。そもそも患者ではないのだから、個人情報を漏らすも何もない。だから本当に入江さんのことを知りたかったら、また電話をして訊きます。何も教えてくれなかったら、入院患者ということです。さりげなく芦屋さんの名前を出したら、やはり何も教えてくれませんでした」

「そんな、芦屋さんがあの病院の患者だってことが分かっているのなら、私にそんな意地悪な質問しなくたっていいのに――」

と入江は今にも泣き出しそうな声で言ったが、そんな抗議をする権利は彼にはない。

「入江さん。正直に仰ってください。僕に嘘をつく意図はなかったですか？」

「もちろんです！」

「じゃあ、あなたもあの二人に騙されているんだ」

芦屋三郎。小坂恵美。

「新横浜であの二人と初めて会った時、あなたと印象が違いました。まあ、何の根拠にもなりませんが」

そう言って俺はビールを喉に流し込んだ。その苦さは、今は少しも美味くなかった。

「でも、知里アシが府中で死ななかったからといって、今現在、銀次郎さんの中に彼女がいないという証拠にはなりません」

俺は笑った。まだそんなことを言っているのか、という想いだった。

「詭弁です。いないという証拠など出せるはずがない。証拠はいると主張する者が出すのが筋です。いいですか？　知里アシが府中脳神経外科に入院し、そこで死んだから、同じ病院に入院していた人間に彼女の霊魂が次々に取り憑いた。それがあなた方が最初に主張した理屈です。だがその前提が否定された以上、そんな理屈は成立しない。つまりあなたの奥さんが自ら命を絶ったのは、やはり暗示によるものだと明白になったということです。厳しいことを言うようですが、小坂恵美があなた方夫婦の元を訪れた時に、もっと毅然とした態度を取っていれば、奥さんは死なずに済んだかもしれません。だから私も今回の話からは手を引きます。少なくともアトランティスで、知里アシの霊魂は存在する、などというオカルト記事は書きません。先方にもそのように言ってあります」

そう俺はハッキリと言った。

入江は暫く黙っていたが、やがて思い立ったように口を開いた。

「私は、いったいどうすれば？」

「あの二人からは手を引いた方がいい。これ以上、あの二人とつき合っていると仲間だと思われる。現に私もそう思っていましたから。だからそれを確かめるために、今日、あなたを呼んだんです」

だが、入江は、

「手を引いて、どうするんですか？」

「はい？」

「妻が死んだ事にも、何も意味がなかったと？」

意味なんてない。

俺はそう言おうとして思い止まった。

俺は母を殺された事件を思い出した。あの母の死に、果たして意味があったのだろうか。人は何かを失うと、それを別の何かで埋めようとする。そこに意味を見出してゆく。それは自分で見出さなければならない。決して他人が与えてくれるものではないのだ。

「私には分かりませんし、関心もありません。それはあなたご自身の問題です」

妻が事故にあったこと、昏睡状態に陥ったこと、目覚めたこと、自殺したこと。入江にとっては激動の歳月だっただろう。だから、あの二人につけ込まれたのだ。自分で見出した意味ではなく、他人から与えられた意味にすがったのだ。

「そもそも、何故、あなたが私に会いに来たのですか？　最初っから三人一緒で会いに来ればよかったじゃないですか」

「それは、その、大勢で押し掛けると迷惑だと言われて」

「あの二人に言われたんですか？」

入江は頷き、

「小坂さんに」

と言った。

「それに、順番から言っても入江さんが行くのがいいって」

　とりあえず俺がどんな人間か偵察させるために、入江に一人で来させたのだろう。いいように操られているとしか思えないが、入江はそれを分かっていない。

「今日、僕に会いに来ることを、あの二人に言いましたか？」

　入江はおずおずと頷いた。

「――悪かったですか？」

　これは何とも言えない。俺が二人に不信感を抱いていることを悟られるのは拙いと一瞬思ったが、遅かれ早かれ彼らには知られるのだ。このまま彼らを無視するという方法はあるが、暫くは付きまとってくるだろう。なら正々堂々と対決した方が後腐れがない。人が多いから屋外のビアガーデンを選んだが、そんな配慮をしなければならないのは、本当はあの二人に対してだった。

「何か言っていませんでしたか？」

「別に何も――記事を書く目処がたったという話ならいいですね、とは言っていましたが。それよりも銀次郎さん」

「はい」

「あの二人が怪しいというのは本当ですか？」

　俺は頷いた。

「後ろめたいことがないのなら、知里アシが府中脳神経外科で死んだなんて嘘をつくはずがない。多分、二人は、最初は芦屋三郎だけかもしれませんが、知里アシのことを何かで見聞きして知っていたのでしょう。知里アシの霊能力の御利益に与《あずか》ろうと思ったのか、それとも他に目的があったのか、それは分かりません。とにかく知里アシという、まったく何の関係もない人物の関係者になりすましたのです。その計画に、私も、入江さんも利用された」

「でも、どうしてそんなことを？　調べればすぐに分かることじゃないですか。現にこうして——」

「じゃあ、入江さんは調べましたか？」

入江は黙った。

「オカルト話で裏取りなどしないと舐めていたのかもしれません。とにかく記事になってしまえば向こうの勝ちです。後で、捏造がバレて訂正記事を出しても、前に出した記事を打ち消すのはそう簡単ではありません。多分、彼らの目的は知里アシの噂を世間に広めることでしょう。ことにオカルト関係は、非科学的なことは皆承知で、それを分かって楽しむ側面もありますからね。少しぐらい捏造されていたって、怪談話として楽しむ分には支障はないでしょう」

「でも、どうして芦屋さんと小坂さんは、知里アシなんて訳の分からない霊能力者を信じてしまったんでしょうか？　そもそもどこでそのことを知ったんでしょうか？」

「今の時点では何とも言えません。だから、入江さん。またあの二人との会席の機会をセッティングして欲しいんです。場所は新横浜でいいです。日時を決めていただければ、店の方は私が予約します」

正直、俺はあの二人が知里精治を殺したのではないかと疑っていた。病院に問い合わせて知里アシの入院の事実がないことを知った。だが病院が簡単に患者のリストを外部に漏らさないという前提に立てば、アシが府中脳神経外科と何の関係もないことを知っているのは、精治だけではないか。だからあの二人が口封じに殺した。アリバイの問題はあるが、あの二人以外に別の実行犯がいると考えればクリアできる。

警察に情報提供しようかと考えたが、止めておくことにした。二人は精治の死体の第一発見者だ。前回会った時は酷い取り調べを受けたなどと言っていたが、それは事実だろう。今更俺が二人が怪しいなどと言ったところで、そんなことは分かっていると返されるだけだ。俺とて二人が犯人であるという絶対的な証拠はないのだから。

「それと、今の話は二人にはしないで欲しいんです。私から直接話したいですから」

もし、今の段階で俺が二人を疑っていることを知られたら、もしかしたら会うのを拒否されるかもしれない。

「分かりました――」

入江はどこか落胆した様子で言った。

彼にとって、知里アシの存在がインチキだろうが何だろうが、どうでもよかったのかもしれない。恐らく入江は定年でもう仕事はしていないのだろう。妻も失った。文字通り、知里アシの存在を伝え継ぐのが生き甲斐だったに違いない。

「私の妻が自殺したのも、知里アシとは何の関係もなかったということですね？」

「関係ないとは言いません。あなたが知里アシを信じ、奥さんも信じた。それだけです」

「じゃあ、本当に暗示で自殺したと？」

俺は暫く躊躇《ちゅうちょ》したが、

「そうです」

とはっきりと言った。それは最初っから言っていることだ。俺は客観的事実としての霊魂など信じない。魂は脳の活動の産物だ。したがって肉体が死ねば心も死ぬのだ。

「あの二人と出会わなかったら、妻は自殺しなかったと？」

そう入江はつぶやくように言った。

俺は答えることができなかった。暗示といえども、それだけで自ら命を絶つことはないだろう。だが今の時代、自殺の動機の一つや二つ、誰だって持っているかもしれない。やはり、あの二人が入江の妻の背中を押したのは事実ではないか。

　妻が自殺した時、入江はそうは考えなかったのだろうか。あの二人のせいで妻が自ら命を絶ったかもしれないと、これっぽっちも思わなかったのだろうか。

　入江に対する疑惑はあったが、少なくとも彼も芦屋や小坂にいいように使われていたのは確かなようだった。芦屋は息子に家庭内暴力を受けていたようだし、小坂は本気か冗談か分からないが夫が死んで遺産を独り占めできて良かった、とぽろりと漏らしたという。だから息子や夫が死んだことを悲しんではいない、と言い切ることは乱暴だが、とにかくあの二人は信用できない。しかし、少なくとも目の前にいる入江は本当に妻の死を悼んでいるように思え、これ以上追及するのは気の毒だった。ライターとしては甘いかもしれない。でも今重要視しなければならないのは、入江よりも芦屋と小坂だ。所詮、入江は小物だ。

「あの二人にお布施と称して金銭を要求されたことはないですか？」

　入江は首をぶるぶると振った。

「そういうことは一切ありません。だからあの人たちを信用してしまったんだと思います」

　金目当てではないのか。つまり純粋に知里アシの存在を世間に広めるために頑張っている、熱心な信徒ということになる。ある意味、金目当てよりもタチが悪い。金は誰だって欲しいから、動機が分かりやすい。でも信仰はそうではない。

「気をつけてください。何年もかけて信用させて、いざという時に金をせしめるつもりなのかもしれない。そのためにも、早いうちにケリをつけた方がいいと思います」

入江は何度も何度も頷いた。そして、また芦屋、小坂を含めた三人で会食の機会を設けると約束して、彼はビールをぐびぐびと飲んだ。次から次にお代わりを注文するので、そんなに飲んだら身体に毒ですよ、と注意しなければならないほどだった。自分が騙されていたこと、そして知里アシの霊魂は何も関係なかったことがショックだったのだろう。店を出る頃には、文字通り入江の足下はおぼつかない程だった。俺はビアガーデンなどに来るべきではなかったと後悔した。入江も自殺しまいかと不安になったのだ。

妻が自殺した時、彼は自分を責めただろう。でも、その彼の自責の念は、少なくとも意識下に押し止められていた。すでに妻は芦屋や小坂と接触していたからだ。つまり、妻の自殺の責任はすべて知里アシに押し付けられる。だから入江はあの二人の言うことを信じたのだ。だが今や、そんな理屈は通用しない。妻の自殺は知里アシのせいではなく、二人を信じた自分のせいになっている。暗示どころの話ではない。今、入江には明白な自殺の動機が存在している。酒の勢いもあり、衝動的に電車や車に飛び込んでしまっても不思議ではないと思われた。

「大丈夫ですか？　家まで送りましょうか？」

「いえいえ！　大丈夫です。だいじょーぶ」

「まったく大丈夫そうではないですよ」

「そうですか？　銀次郎さん、あれでしょう？　わたしが酔っぱらって道路で寝るとでも思ってるんでしょう？　そのまま車に轢《ひ》かれると」

「当たらずも遠からずといったところでしょうかね」

「大丈夫！　死にはしませんよ。あの二人に、どういうつもりであんな嘘をついたのか聞き出さなきゃいけませんしね」

　俺は頷いた。

「その通りです」

「二人であいつらとっちめてやりましょう！」

　入江は威勢の良い声を発した。無理に自分を鼓舞しているように思えて痛々しかった。

　入江の死を知ったのは、その三日後だった。

　もちろん衝撃を受けたし、そう親しくはなくとも最近まで何度か会い、電話で話し、酒を酌み交わし、少なからず同情した相手だからこそその哀れみを感じた。しかし俺を襲った後悔と罪悪感はその比ではなかった。

何故ビアガーデンなどを選んでしまったのだろう。何故あれほどジョッキを次々に空にする入江を黙って見ていたのだろう。そもそも憤った勢いで、俺の住む中野まで彼を呼び出したのがいけなかった。あんな千鳥足で人通りの多い街を歩き、電車に乗って帰ったのだから、事故にあっても不思議ではない。否、本当に事故なのだろうか。入江の死と俺との会談がまったくの無関係なはずがない。やはり入江は酒の勢いで自ら死を選んでしまったのだ。

突然訪問して来た二人の刑事に、入江太一さんが亡くなりました、と告げられた瞬間、自殺したのだと信じて疑わない俺の脳裏で、それらの葛藤が渦を巻いた。だからこそ次に、彼は殺されたのです、と教えられて肩の荷が下りたようにホッとしたのだ。

不思議だ。精治を殺した犯人も、入江を殺した犯人も捕まっていない。その何者かが、俺をつけ狙う可能性はゼロではないのだ。それでも俺は安堵の色を隠せなかった。自分が命を狙われるよりも、自分のせいで入江が死んだとされる方が、よほど嫌だったのだ。

だがホッとしている場合ではない。俺は三日前に入江と会っていた。場所はビアガーデンだ。証人はいくらでもいる。普通に考えれば、俺が一番の容疑者ではないのか。母が殺された事件の際も、俺は事件当時東京にいたから容疑者の圏外にいたが、同居していた父は厳しく取り調べられた。週刊標榜のライバル誌週刊クレールなどはリベラルな傾向が強いから、警察組織の横暴、冤罪を生みだすメカニズム等々を好んで取り上げる。しかし基本的に警察は優秀だ。犯してもいない罪で逮捕されるなど滅多にあることではないと信じたい。

刑事は、五島と名乗る年配の男と、桐谷という五島に比べればまだ若そうな男の二人組だった。本当に刑事は二人一組で行動しているんだな、と俺は変なところで感心した。母が殺された時はどうだっただろう、と考えたが、実家が殺人現場であったこともあり、やたらと大勢の警察関係者が出入りしていた、という記憶しかない。

近くのカフェで二人と話をした。皮肉にも、入江と最初に会った場所がここだった。まず職業を聞かれ、フリーランスのライターだと答えると、五島からは興味深げな、桐谷からは胡散臭げな目つきで見られた。

「入江さんの刺殺体は、吉祥寺の自宅を訪ねて来た妹さんによって発見されました」

と五島は語った。俺は、では妹はかなり執拗に警察に疑われただろう、と思った。親族を亡くした上に犯人扱いされるのは、やはり捜査上仕方がないとは言え、気の毒だった。

それよりも精治の時と酷似しているのが気になった。現場は自宅。殺害方法は刺殺だ。そして精治も入江も患者家族という共通点がある。知里アシは府中脳神経外科に入院してはいなかったという点を差し引いても、やはり何か意味があるのではないか。

「奥さんを亡くされたから心配して、ちょくちょくお兄さんと連絡を取り合っていたんだそうです」

「自殺を心配されていたんですか？」

　桐谷という若い刑事が、ぎろりと俺を見て、

「どうして自殺だと思うんです？」

　と言った。

「奥さんはせっかく昏睡状態から目覚めたのに、自殺してしまったんでしょう？　自殺は連鎖すると言います。だから妹さん、奥さんの後を追うんじゃないかと、入江さんのことを心配していたんだと思います」

「ほう」

　と五島が意味深長な声を発した。

「あなたの仰る通りです。ただ最近は、時おり明るい顔を見せるようになったと言います。遺族会の仲間が出来たとか、妹さんには説明していたようですが」

「そう、そいつらです！」

　俺は少し大きな声で言った。二人の刑事は目を丸くした。

　俺はこの店で入江と出会ってから今日までのことを、包み隠さず二人に説明した。さすがに知里アシのくだりになると真面目に話を聞いてくれるのかと心配したが、彼らは最後まで真剣な顔だった。そうだ。俺は知里アシの霊能力など信じていない。これは知里アシを信じ

た者たちが起こした事件だ。つまりオカルトではない。最初から最後まで地に足のついた、正に彼らのような刑事が取り調べる事件なのだ。

話し終わると、五島はさっそく質問を繰り出してきた。

「確認させてください。あなたは知里アシが府中脳神経外科に入院していないことを突き止めた。そのことで入江さんを追及した。でも入江さんも初耳だったんですね？」

「ええ。もちろん嘘をついていれば別ですけど。でも、演技には思えませんでした」

「それで入江さんは、その芦屋三郎と、小坂恵美さんに会いに行ったと？」

俺は頷いた。

「恐らくは。入江さん、そう言っていましたから。その二人が犯人かどうか断定することはできません。でも現時点で一番疑わしいのは間違いありません」

「会ったかどうかは分からないのですね？」

「はい。入江さんと会ったのは、それが最後ですから」

「知里精治の死体を発見したのも、その二人なんですね？」

「ええ。散々取り調べられたようですよ。アリバイがあったから事無きを得たようですが。でも共犯者がいれば、アリバイなんて何の意味もありませんよ！」

五島と桐谷は顔を見合わせた。

「共犯者とは？」

「だから二人と同じように、知里アシの信奉者ですよ。あるいは――」

「あるいは？」

俺は一瞬ためらったが、刑事相手に隠し事は出来ないと思い、言った。

「何の証拠もありません。でも、その時点で既に入江さんと二人の間に接点があったとしたら、と考えたんです。入江さんが精治を殺し、二人はアリバイを作る。もしかしたら入江さんは口封じのために二人に殺されたのかもしれない」

「でも、二人と入江さんが出会ったのは、精治が殺された後でしょう？」

と桐谷が言った。

「いや、だから実は面識があったんじゃないかってことですよ。アリバイを作るために、関係を隠していたんだ」

「うん、それはまあいいでしょう。我々が調べることですから」

素人探偵の推理など鼻にもかけないと言ったふうに、五島は言った。

「でも、そう考えるに足る何かがあったんですか？　不審な態度が見受けられたとか、桑原さんご自身も身の危険を感じたとか」

「そんなものはありません。でも、先ほどの私の話を聞いたでしょう？　私は知里アシの霊魂の存在などこれっぽっちも信じていませんが、入江さんは違ったんです。そんな人と会ったら、そりゃいろんなことを考えますよ」

「仮に仲間であったとしても、入江さんは知里アシが府中脳神経外科に入院していなかったことは知らなかったんですね？」

「さあ、それは。だから演技とは思えなかったけど、演技だったかもしれないし」

分かりました、と五島は頷き、それ以上は追及してこなかった。

「とにかく、あの二人に訊いてください。入江さんを殺した犯人かどうかは分かりませんが、絶対に事件に関係しています。連絡先、お教えしましょうか？」

五島は苦笑した。

「いえ、それには及びません。入江さんの手帳に書かれていた住所の方々に虱潰しに当たっているんです。確かに手帳には、芦屋三郎さん、小坂恵美さんの名前がありました。今、そちらには別の者が向かっていると思います。妹さんはその府中の病院で出会った患者の家族じゃないでしょうか、と言っていたが、ズバリ、でしたね」

「刑事さん。知里アシのことを調べてみてください。間違いない、今回の事件の根源は知里アシです。芦屋三郎がどこで知里アシのことを知ったのか、それが分かれば事件解決の重要な手がかりになります」

「あの、そういったことは我々の方でやりますんで。いちいち指示をしていただかなくても結構です」

とフリーライターなどという胡散臭い職業の男に偉そうに指図されてプライドが傷ついたのか、桐谷が言った。

「しかし、あちこち詮索して回られるのは、あまり関心できませんね」

と五島が言った。

「何がです?」

「先ほどのお話では、芦屋三郎さんと、小坂恵美さんの近隣住民に聞き込みに回ったとか」

「聞き込んだのは芦屋三郎だけです。彼の息子の事故は有名だから、改めて私が聞き込みに回ったところで彼には警戒されることはないだろうと踏んだんです」

「でも聞き込む時は、当然名前を名乗ったんでしょう?」

「そりゃ、そうですけど。でも念のため、名刺は渡さないようにしました。芦屋さんの息子さんのことをマスコミが訊き回るのは日常茶飯事のようで、それで特に不審がられはしませんでしたが」

「名刺をあちこち配らないのは賢明でしたね。でもあなたが聞き込みに回っていることが、芦屋三郎に漏れていない保証はない。ましてやあなたは特徴的なお名前だから」

「よく言われます」

と言って俺は笑った。

「笑い事じゃないですよ、あなた。あちこち探られると捜査の邪魔になる」

と桐谷が言った。

「私が聞き込みに回った時は、まだ入江さんは殺されていなかったですよ。そのことは、今日あなた方に教えられて初めて知ったんだ」

「いや、そういう問題じゃなく――」

「桐谷、もういい」

五島が俺と桐谷の間に割って入った。

「あなたは職業柄いろいろ知りたがるだろうが、この件に関しては勘弁してください。入江さんがどんな動機で殺されたのか分からない以上、あなたにも身の危険が及ぶかもしれない。ミイラ取りがミイラになりたくはないでしょう？　下手をしたら前の事件の二の舞いだ」

秋葉原のマンションの一室を思い出した。当然彼らは、俺の人となりを一応調べてから、今日、ここに来たのだろう。

あの一件で、俺は死んでもおかしくなかった。あんな目に二度と遭いたくないのであれば、おとなしくしているべきだ――そういう理屈も分かるのだ。だがそんなことをしたら犯人の思う壺だと思った。実際は、犯人が俺のことをどう思っているのかは分からない。単なる自意識過剰かもしれない。だが何故入江は、俺と会った直後に殺されたのだろう。犯人が俺をまったく意識していないとは、やはり考えられないのだ。

「私は私で調べますよ。入江さんの敵討ちだ」

二人の刑事は、心底うんざりした顔をした。

啖呵を切ったものの、警察から俺に捜査の情報が流れてくることは、まずないだろう。母が殺された事件の際は、そのつど、情報が漏れてきたが、それは俺が遺族だからだ。それでも、すべての情報を知ることは当然できない。ましてや遺族ではない関係者に捜査状況を知る術《すべ》は皆無だ。俺一人が足を棒にして調べ回ったところで、警察の向こうを張るなどまったく不可能だ。

だからと言って、諦め切れない。この二人の刑事が言うように、犯人が見つかるまでのんびり家でテレビのニュースを観ながら待たなければいけないのか？

俺にしかできない何かがあるはずだ。芦屋秋宗、小坂直人、入江和子を経て知里アシの今現在の『宿主』としての俺だけが持つアドバンテージが――。

「あなたたちだって、マスコミの人間に記事を書くな、と言ったところで、どうにもならないってことは分かっているでしょう？　下手にそんなことを言ったら国家権力の言論弾圧だと騒ぎ兼ねられない」

五島は眉を顰《ひそ》めた。

「おかしなことを仰いますね。私たちは事件解決のために当事者のあなたに、記事を書くのを控えてくださいとお願いしているんです。言論弾圧なんてとんでもない。事件の早期解決は、あなたご自身の安全に繋がります。それが分かりませんか？」

「私は記事を書きます」

と俺は言った。

「警察を挑発しようだとか、そんなつもりは毛頭ありません。でもあなた方がお仕事に誇りを持っているように、私にもあります。私なりにできることを精一杯やることが、入江さんに対する供養だと考えます」

それで二人は黙り込んだ。もう何を言っても無駄だと思ったのかもしれない。桐谷などは、胡散臭い目で俺の顔をじろじろと睨《ね》め回した。カッコいいことを言って、所詮お前も金のためにハイエナのように事件を漁るマスコミだろう、と言わんばかりの目付きだった。

入江が殺されたことに対する同情や哀れみは勿論あったが、敵を取ってやる！　などと息巻くほどの関係は築いていなかった。やはり俺は彼の死に責任を抱いていたのだと思う。自殺ではなく、他殺であってもだ。俺が怒りに任せて彼を呼び出し、芦屋や小坂に対する不信感を植え付けなければ、彼は二人に会わず、結果として殺されることもなかっただろう。入江は自宅で殺されていたという。ならば俺が彼を呼びつけたように、彼も芦屋、もしくは小坂を呼びつけたのだろうか。いずれにせよ、ビアガーデンで別れた直後に、入江は芦屋と小坂に連絡を取ったはずだ。あの二人が重要参考人であることは間違いない。

そのことを五島と桐谷に念を押そうと思ったが、また偉そうに指図をするなと言われると思って、黙っていた。

「桑原さん。我々にしてみれば、あなただって重要参考人なんだ。あなたがビアガーデンで入江さんと会った後、そのまま二人で吉祥寺の彼の家まで出向き、そこで彼を刺殺したという推測も十分できるんだ」

「なら私と入江さんを見たという目撃者を探すといい。きっと誰一人見つからないでしょうから」

歳のいった五島は、さすがにこんな捨て台詞にも表情を変えることはなかったが、まだ若い、恐らく俺と同年代であろう桐谷は、苦々しい顔で俺を見つめた。

「できるだけ旅行などは控えてください。もし仕事などでどうしても遠出をする必要が生じたら、必ず連絡をしてください。黙って海外旅行などしたら国外逃亡と見なされます。これは決して冗談ではありませんよ」

別れ際、五島は俺にそう言った。相変わらず、桐谷はこちらを意地悪く睨め回し、挨拶一つせずに俺の前から姿を消した。事情聴取を受けた気分だった。実際、彼らにとっての認識はそうなのだろう。せっかく警察の方から訊ねに来たのだから、俺の方からもいろいろと訊きたかったが、俺は容疑者であり、マスコミの人間でもあるのだ。どうあがいても警察の協力は期待できない。

これが刑事事件専門のベテランのライターなら、警察OBなどにコネの一つや二つあるだろうが、残念なことに俺はキャリアが浅く、ライターとしては何でもこなす故に専門分野がなく、また一年以上のブランクがある。まったく勝ち目はないが、だがあの二人の刑事にすべてを任せて、自分ではいっさい動かないのはあまりにも忍びなかった。

俺はその足で、再び芦屋三郎が住む日野に向かった。住所は分かっているから、聞き込みなどまどろっこしいことはせず、直接自宅に向かうつもりだった。いつもの習慣で手土産は何を持っていこうか、と一瞬考えたが、そんな気遣いが必要な事態では今はなかった。

インターホンを押して暫く待った。だが何の応答もない。電話で約束などしなかったから、もしかしたら外出しているのかもしれない。だがこれで諦めていたらライターなど務まらない。俺が探していることを知られたくなかったから、電話で居場所を訊くことはできるだけ避けたい。帰ってくるまで何時間でも待つつもりだった。

しかし、その時、

「ちょっと、あなた！」

と大きな声がして、俺は弾かれたように声の方を振り返った。

スーツを着た二人組の男がこちらに近づいてくるところだった。片方は年配で、もう片方は比較的若い。咄嗟に思った、刑事だと。そしてそれはその通りだった。

「あなた何やってるの⁉」

若い男が横柄に俺に訊いた。

「芦屋三郎さんの知人です。共通の知り合いが亡くなったので、様子を見に来たんです」

「名前は？」

「桑原銀次郎と申します」

「銀次郎──？」

それは印象的な名前だから思わずつぶやいた、といったいつもの反応ではなかった。俺の名前を知っているのだ。

「芦屋さんに何の用？」

今度は年配の男が訊いた。

「だから、どうしているかな、と」

「芦屋さんの友達なの？」

「いえ、友達というわけでは」

「どういうこと？」

それから俺は、たっぷり三十分以上かけて、ここに来た目的を二人に説明した。まったく同じことを、先ほど五島と桐谷に話したので、さすがに不毛な気がしてきた。こんなことをしている間にも、芦屋はどこかに逃走してしまうかもしれない。

小坂も。

それから二人はどこかに連絡し始めた。俺の話の裏取りをしているのだろう。張り込みの最中に警察に出くわすのは今に始まったことではないので、今更動揺したりはしなかった。それよりも、芦屋の家を警察が見張っている事実の方が問題だった。つまり、芦屋は現在行方不明ということではないのか。そして、そのことによって警察に重要参考人としてマークされている。

黙って海外旅行などしたら国外逃亡と見なされます、と言った五島の言葉が脳裏に蘇った。

「あなた、ライターさんなんでしょう？　さぞ、喜んだでしょうね。書く材料が向こうから飛び込んできたんだから」

などと年配の刑事が嫌みったらしく言った。どこの土地に行こうとも、ライターに対する警察の評価は変わらないらしい。

「余計なことはしないようにと言われなかった？」

「言われたような気もしますが、強制力はありませんから」

「――何を」

若い方が突っかかるように言ったが、年配の方がそれを制した。

「あなたの言いたいことは分かりますよ。言論の自由、表現の自由があると言いたいんでしょう？」

俺は笑った。

「今更そんな青臭いことは言いませんよ」

「普通のマスコミなら、私らも何も言いません。でもあなたは関係者なんですよ？　それがお分かりか？」

「分かりましたよ。もううろちょろしません。家で大人しくしています」

と俺はその場しのぎでそう言った。だがそれで無罪放免とはいかず、改めて芦屋の人となり等を訊かれた。一度しか会ったことがないので話すことはなかったが、それでも彼らは執拗だった。隠しごとをすると後々面倒なことになりそうだったので、この街には前にも来たことがあると素直に言った。露骨に嫌な顔をされたが、息子が柔道の練習で大怪我をしたと

いう話をすると、興味深げに、

「あなたはその息子さんの一件がこの事件に関係あると思っているんですか？」

などと訊かれた。俺は、分かりません、と適当に答えた。そういう話を聞いたというだけで、秋宗が怪我をした件を調べている訳では決してないのだ。だが刑事の口からは、息子の事故も並行して調べ直しているという意図も感じられた。現時点では、そちらの方がマスコミに大きく取り上げられているので、俺も秋宗を重要視していると思われたようだった。

俺はすごすごと芦屋の自宅から退散した。だが今現在芦屋の消息がつかめず、警察が彼の行方を追っていることが分かっただけでも収穫だ。警察は俺も容疑者と言っていた。確かにそれはそうだろう。だが警察は俺よりも芦屋を最有力の容疑者として見ている。何しろ家の前を張っているぐらいだ。芦屋はまだ仕事を引退するような歳ではない。家に帰らないだけではなく、仕事先にも黙って失踪したのではないか。

警察には家で大人しくしていると言ったものの、それを守る気などさらさらなかった。俺はその足で、小坂恵美が住む横浜の中区に向かった。最寄りの山手駅から小坂家までは距離があったのでタクシーを拾った。高級住宅街だから、住民はほぼ自家用車を所有している。自宅から駅まで距離があろうが不便ではないのだろう。

今までは、山手に住む人々は胡散臭いライターを警戒していること、また何も特別な事件が起こっていないのに俺のような男が現れたら、すぐに小坂の耳に入ってしまうことを考慮して、この地に足を踏み入れることはなかった。だが今は事情が違う。俺の存在は、この事件を捜査している刑事全員に知られていると言っても過言ではないだろう。見つかる前にこの地を後にすれば面倒なことにはならない。まあ、万が一見つかったとしても、また今までの話をすればいいだけの話だが。

俺は小坂家の近隣の家のインターホンを鳴らした。極力名刺は配りたくなかったし、そうでなくても胡散臭いフリーライターの男など警戒して何も話してくれないかと思ったが、意外にも皆饒舌に小坂家の現状を教えてくれた。突然現れた俺のような男を警戒するのは当たり前だが、それ以上に、顔なじみだったご近所さんが犯罪にかかわっているかもしれない、という可能性の方に衝撃を覚えているようだった。山手に住む人々は外部を警戒すると思っていたが、それ以上に内部の住民の言動に目を光らせているのかもしれない。万が一犯罪者でも出る羽目になったら、ここ一帯のブランドに瑕がつくのは否めないだろう。

近隣住民達の話によると、やはり小坂恵美は、数日前から家を留守にしているらしい。警察は彼女の行方を追っているようだ。入江が二人に殺されたという推測には何の証拠もなかったが、これでがぜん信憑性が出てきた。証拠がないのは同じだが、二人が行方をくらませているのは厳然たる事実だ。殺害そのものに関与していなくとも、何らかの事情を知っているとみて、まず間違いないだろう。

多くの住民が、そういえばあの人どこかおかしかったように思います、などと前置きして、失踪前の彼女の人となりを教えてくれた。こういう事態になったからこその後付けの印象は否めないが、それでも興味深い事実をいくつか知ることができた。

小坂恵美は夫の直人が自殺しても、意気消沈する素振りなどほとんど見せなかったという。もちろん、誰も見ていないところで一人泣いていたのかもしれないし、気丈な人だと思うだけでその時は悪い評判など立たなかったのだが、彼ら夫婦の昔を知る人々は、夜な夜な夫婦喧嘩の声が絶えなかったと言っていた。直人の脳溢血の原因は夫婦関係のストレスにある、と訳知り顔で話す住民もいたぐらいだ。それで昏睡状態から回復し、これをきっかけに夫婦間の仲が良くなればいいなと思っていた矢先に、直人の自殺だ。誇張でもなんでもなく、恵美が自殺に見せかけて殺したのではないか、と疑う者も出たという。

「霊能者にはまっているという噂は聞きませんでしたか？　露骨に勧誘されたりとか」

その質問には皆、きょとんとした顔をした。知里アシという名前を知っている者も一人もいなかった。芦屋三郎を知っている者は数名いた。だがそれも警察に訊かれたから知っているという程度で、芦屋本人と会ったことのある者はいなかった。

以前、その芦屋三郎と共に、とある殺人事件の第一発見者となったことを知っているかとも訊ねようと思ったが、小坂が犯人であると決まった訳ではないのだから、そこまで踏み込むのは止めておいた。芦屋は妻と別居中で、小坂は夫を亡くした。知里アシの一件で親しくなって、男と女の関係になったとしても不思議ではない。二人とも家を留守にしているのは、偶然かもしれないし、もしかしたら一緒に旅行にでも出かけているのかもしれない。

もし彼女に何の罪もないとしたら、この街に戻ってきた時に居辛くなるのは気の毒だ。徹底的に追及するのは、もっとちゃんとした証拠が出てきてからの方がいいだろう。

帰りの電車の中で、これからどうするべきか考えた。事態は殺人事件に発展した。警察は余計な記事は書くなと言っていたが、向こうだってこっちが素直に言いつけを守るなど期待していないだろう。これは十分週刊標榜で取り上げられる話題だ。だが脳裏にアトランティスの木根と杏菜の顔が浮かんだ。最初はアトランティスで書く事に気乗りせず、最終的に断ってしまったが、やはりこの事件はアトランティスで扱う方が相応《ふさわ》しいと思うのだ。もちろん週刊標榜から仕事の依頼がくればいくらでも受けよう。ただし、それは完全な仕事としてだ。自分の書きたい記事を書くためではない。

仮に週刊標榜で今回の事件を取り上げるとしたら、当然、入江の殺人事件を中心に記事を組み立てることになるだろう。知里アシの霊能力を考察するような記事を書くのは許されない。週刊標榜の読者は、主に中年の保守的な人々だ。幽霊話を信じるほど純粋ではない。

だがアトランティスは違う。もちろん中年以上の読者もいるだろうが、保守的とは決して言い難い読者層だ。アトランティスの方が超常現象をメインに、より扇情的な記事を書けるのは間違いないはずだ。

新横浜で芦屋や小坂と会った時、俺はアトランティスで記事が書けるかもしれないと言った。彼らが週刊標榜を読むかどうかは分からない。だがアトランティスは必ずチェックするのではないか。もちろん、こんなことになってしまった以上、俺が約束通りアトランティスに書くかどうかは未知数だ。だがアトランティスは月刊誌だ。逃亡中とはいえ、月に一度書店に足を運ぶ余裕くらいあるだろう。そこで、たとえばだが、知里アシのお告げが届いた、などとぶち上げたらどうだろう。芦屋と小坂は俺の前に姿を現すのではないか——。

もちろんネックはある。最大の問題は、二人が今現在、何を目的として逃走しているのかはっきりと分からない点だ。本当に二人が入江を殺して逃げているのだとしたらアトランティスに記事が出たぐらいで姿を現したりはしないだろう。またこれから記事を書くのだから出版までには時間がかかる。その間、最悪の場合、彼ら二人が自ら命を絶ってしまったら、何の意味もない。

第一、今、この時点で生きている保証はない。精治も入江も自宅で殺されているから、第三者が知里アシにまつわる患者の家族を皆殺しにしたとしたら、当然、芦屋も小坂も彼らの自宅で死体が発見される筈だと思う。だがそれも、その方が法則性が保たれて奇麗だ、という些細な問題に過ぎず、真犯人はいちいちそんなことを考えていないのかもしれないのだ。

だとしたら、芦屋と小坂は屋外で殺されたということになる。海に沈めたり、山の中に埋めたりしない限り、死体は早い段階で発見されるはずだ。精治も入江も単純に刃物で刺し殺した、といった印象なのに二人の死体だけ発見を遅らすように隠す理由が分からない。二人は今現在生きているのではないか。そしてどこかで身を潜めている。

俺はすぐに杏菜に連絡した。先日は断ってしまったが、やはり記事を書きたいので、木根との間に入ってくれないか、と言うとどこか嬉しそうな声を出した。

「自分から言い出しておいて断ってしまったのに、また記事を書きたいなんて虫のいい話ですが」

『いえ、そんな話はしょっちゅうありますから。事情が変わったんでしょう?』

「その通りです」

『どんな事情ですか?』

「殺人事件が起きたんです」

三度、俺はアトランティスの編集部に出向いた。記事を書く書かないと二転三転し、正直、木根に嫌がられないかと心配したが、そんな様子もなく飄々としたいつもの態度で迎えてくれた。もちろん内心は穏やかではないかもしれないが。

やはりというか、関係者の一人の入江が殺されたから、それに則した記事を書きたい、と言うと木根は難色を示した。

「知里精治という人物が殺されたのは過去の事件でしょう？　でも今回の事件は起こったばかりで、正に今が最も警察が動いている時期ですよね。そういう速報性の高い記事は、うちではなく、やはり週刊誌の標榜さんでやった方がいいんじゃないですか？」

確かにオカルト雑誌のアトランティスではスクープ記事など皆無だ。ほぼ独自路線で固定読者をつかんでいる。そもそもオカルトものは、死んだ人間の魂だとか、太古の遺跡とか、過去の出来事によって成立するものが非常に多い。もちろんそれを言ったらすべてがそうだが、少なくともオカルトものに速報性は薄い。今俺が巻き込まれている件だって、数年前に起こった知里アシの自殺から始まっているのだ。今現在進行している事件に並行して記事を書くなど、確かにアトランティスのカラーではないかもしれない。

「でも、木根さん。以前、次期政権の顔ぶれを新宿の霊能力者が予知するという企画をやったでしょう？　あれは報道色が強かったんじゃないですか？」

報道色が強いという杏菜の言葉に、俺は思わず噴き出しそうになった。題材を政治に求めただけで、やっていることはオカルト以外の何物でもない。

「でも、あれは予知だもんなあ。それに政治に霊能力を絡めても、不謹慎だと批判はされないんですよ。政治はよほどのことがない限り、どんなにちゃかしても風刺と思って皆笑ってくれる」

「まあ、そうでしょうね」

「しかし現実に起きている殺人事件は別だ。もちろん、迷宮入り事件について海外の霊能力者が解決を試みるという企画は、テレビ、雑誌を問わず人気ですが、ああいうのはあくまで迷宮入り事件だからですよ。今現在起こったばかりの殺人事件は、どうもね」

「警察が怖いんですか？」

と杏菜が訊いた。

「いや、警察は別に怖かないよ。そんなことでいちいち文句は言ってこないし、警察だってマスコミが勝手に記事を書くことぐらいわかっている筈だ。ねえ？」

俺は頷いた。

「怖いのは警察よりも世論だよ。オカルト好きな読者って、不思議と真面目な傾向にあってね。誹謗中傷すれすれの記事を見つけ出しては即座に声を上げる。特に今はＳＮＳの時代だから、誰でも思ったことを即座に発信できる。だから、今現在捜査中の事件を迂闊に取り上げて、不謹慎と批判されるのが怖いんですよ。万が一読者が購読をボイコットしたら、死活問題だ」

確かに木根の不安も分かった。俺も、先日起きたばかりの殺人事件の被害者の霊魂を呼び出す、などという記事を読んだら、ろくでもない記事を書くライターもいるもんだな、と眉を顰めるかもしれない。遺族の気持ちを考えろと。

「仰ってることはよく分かります。だから不謹慎にならないように書きたいんです」

「どんなふうに？」

「あくまでも記事は知里アシを中心にして書きます。そういう霊能力者が北海道にいて、彼女を信奉する人々がいて、その結果死者が出たと。入江さんの事件の詳細に触れる必要はないと思います。それなら不謹慎のそしりを受けることはない」

「まあ、確かに。でも結局それは、最初に銀次郎さんが持ち込んできたお話とまったく同じことですよね？」

「確かにそうです。でもその記事は行方をくらましている芦屋と小坂は必ず読む筈です」

「その根拠は？」

「そうですね――シャーロック・ホームズの『赤毛連盟』を読んだことがありますか？」

「ホームズ？　子供の頃読んだかもしれないが、覚えていないな」

「私、高校生の頃読みましたよ。赤毛の人をスカウトして仕事をさせる話でしょう？」

ざっくばらんな概要だったが、間違っていないので俺は頷いた。

「もちろん犯人にはある目的があって、赤毛の登場人物にそんな仕事をさせているんですけどね。あくまでも仮定ですが、あの三人は何か目的があって私に近づいたのでは――と考えたんです。彼らは霊能力などこれっぽっちも信じていなかった。ただそれらしい人間として、どこかで伝え知った知里アシを持ってきた。もしそうならば、知里アシが府中脳神経外科に入院していなかった事実に説明がつきます。ただ入江さんだけが、それを知らされていなかった。もしかしたら、霊能力を本当に信じる人間が一人ぐらいいた方が話に信憑性が出ると考えたのかもしれない。でも私のせいで入江さんは自分たちが知里アシとなんの関係もないことに気付いてしまった。だから口封じのために殺された――」

「桑原さんを騙す目的が、あの三人にあったんですか？」

と杏菜が訊いた。

「分かりません。もしその三人の目的に膝を打つような面白い解答があれば、ホームズのような面白い小説が書けるんですけど」

俺は普通の人間だ。中野のアパートで一人暮らしで、特に財産もない。『赤毛連盟』は飛躍し過ぎだと思うが、月日をかけて教祖の霊能力を信じるように洗脳させてから、お布施と称して大金を巻き取る霊感商法は決して珍しくない。だがそのターゲットとして、俺のような低所得のフリーライターを狙ってもメリットはないはずだ。

ライターを引き入れるメリットは、やはり霊能力を宣伝させる以外に考えられない。彼らは本気で知里アシの霊能力を信じていた。だからこそ、彼女が府中脳神経外科に入院していた、などというありえない過去をでっちあげてまで、知里アシと自分たちを関係付けた。彼女を信奉していたからだ。

あるいは、俺以外にターゲットが別にいて、そいつを騙すために記事を書かせるつもりだったのか。しかし、それはちょっとやり方が回りくどいように思う。

「そんな解答があるとは思えません。芦屋も小坂も、そして入江さんも、知里アシの霊能力を信じていたはずです」

「まあ、そうでしょうね。もし銀次郎さんを騙すために嘘をついていた、なんてことになったら、彼らの家族も自殺に見せかけて三人が殺したって話になってきますものね」

俺は頷いた。

「いくらなんでもそれはないでしょう。倫理的に信じられないという以前に、やはり警察が厳しく検視を行うと思いますから。小坂恵美など知里精治の死体を発見した後に、自分の夫の自殺死体を発見した。徹底的に調べられてもおかしくない。夫婦が不仲という証言もありましたからね。でも何もなかった。やはり自殺で間違いないと思います」

「だから、芦屋も小坂も知里アシを本気で信奉していると？」

「はい。もしかしたら入江さんは、知里アシを信じるのは止めたいと申し出たから、裏切り者として彼らに殺されたのかもしれない。木根さん。二人はきっとどこかで生きています。その彼らがアトランティスの記事を読んで出頭したとしたら話題になります。けっして悪い話ではないと思いますが」

木根は少し考え込んでいた。出版不況の中、アトランティスが四十年以上も続いているのは、オカルトに特化した紙面作りに固定読者がついているからだ。だがそれ以上購買層が広がらないとも言える。話題になりアトランティス自体が他のメディアに取り上げられれば、宣伝効果は計り知れない。一時的にでも売り上げは伸びるだろうし、冷やかしで買った者の中から固定読者がつけば、もちろん願ったり適ったりだ。

「銀次郎さんがうちに来て、知里アシの話をしてくれた時から、興味深い記事になると思っていました。いったんは書くのを止めたという決断をされた時は残念だったけど、入江が殺されて銀次郎さんの気が変わったのは素直に嬉しい。だけど逃走中の芦屋や小坂に呼びかける記事を書くとなると、とにかく次号に載せなければならないということでしょ？」

「確かにアトランティスを読んで出頭したというのを重視するのなら、一刻も早い方が。載る前に出頭するなり捕まったりしたら、まったく意味がなくなります」

俺は二人が姿を現すのを悠長に待っているつもりはなかった。俺自身の手で二人を見つけ出したかった。そのためにはアトランティスの誌面を利用するしかない。

「既に次号の予告は打ってある。記事を差し替えるとなると、予告の記事の内容を楽しみにしていた読者を裏切ることになるかもしれない。それだけのリスクを背負うメリットが、こちらにあると？」

「ある、と私は考えます」

「その根拠は？」

「週刊標榜にもこのニュースを持ち込むからです」

「えっ」

杏菜は声を出した。

「私は週刊標榜の方にもこの事件の記事を書こうと思います。でも当然ですが、雑誌のカラー的にオカルトは大々的に取り上げることはできません。入江さんの殺人事件を軸に、裏に新興宗教が蠢《うごめ》いている、などという書き方になるでしょう。週刊標榜が取り上げれば、当然、他誌も独自に記事を書くでしょう。でも芦屋や小坂が意識して読むのは間違いなくアトランティスの記事です。週刊標榜の記事は原則として無記名です。でもこちらで書かせてもらう記事には、私の名前を出したいと思います。よろしいですか？」

仕事を依頼してくれるクライアントに傲岸不遜な態度だとは思う。だが彼は前回会った時、俺を恐山のイタコに会わせるなどと言ったのだ。当然、面白半分でそんなことはさせない。記事を書かせるだろう。体験記なのだから、ライターの顔写真や名前が出る記事になったとしても不自然ではない。何なら本当に恐山に向かってもいいくらいだ。

「銀次郎さんの名前を出せば、二人に対するメッセージという意図が、より明白になると？」

「そうです。しかも事件自体は週刊標榜や他誌のおかげで、ある程度世間に知られている。そんな折り、容疑者がアトランティスを読んで出頭したとなったら、これは絶対に話題になります」

木根はうんうんと頷いて、言った。

「悪くない。でも――」

「でも、とは？」

「どの記事を差し替えるかですよね」

と杏菜は言った。

「差し替えるとしたら、納涼ミステリースポットですか。でもそうしたら、記事自体お蔵入りになってしまいそうな気がします」

「時期が関係ない記事なら次号に回すこともできるけど、納涼、だもんな。これは困った」

　急に自分が恥ずかしくなった。木根も俺の申し出に乗り気のように思えたから、調子に乗ってしまったのだ。差し替えると言葉で言うのは簡単だが、一つ一つの記事は、個々のライターが一生懸命取材して汗水垂らして書いたものだ。それを急に横から別のライターが割り込んで後回しにされたら、やはり面白くないだろう。同じ立場の俺にはよく分かる。しかもそのせいで記事がボツになどなったら、一生恨まれることになってもおかしくはない。

「不遜なことを言って申し訳ありません。記事の差し替えは結構です。差し替えない形で、なんとか記事を書かせてください」

「まあまあ、銀次郎さん、頭を上げてください。確かに来月号はちょっとお約束できませんが、再来月号なら問題ありません」

　警察が血眼になって芦屋と小坂を追っているのだから、二ヶ月後には発見されているという可能性は十分ある。できるだけ二人が捕まる前に記事を出したい。一ヶ月後も遅いぐらいなのに、二ヶ月後は絶望的だ。

　やはり速報性の高い記事は週刊誌でなければ無理か。週刊標榜の編集長の中田は長い付き合いだ。オカルト色が強いものは無理でも、何とか交渉してすり合わせることはできるかもしれない。だがやはりライターの名前を全面に押し出すような記事は不可能かもしれないし、可能だとしても二人が週刊標榜の俺の記事に気付く保証はない。

それにアトランティスは自分から話を持ちかけておいて、結局断ってしまった前科がある。それでまた断ったあげくにアトランティスで書く筈だった記事を週刊標榜で書いたとなったら、さすがに倫理的な誹《そし》りは免れないだろう。フリーランスが信用を失ったら今後の仕事に差し障る。

結局、芦屋と小坂が見つからなかった時のための記事と、見つかった時のための記事を二つ書き上げ、どちらかを状況に則してアトランティスの再来月号に掲載するということで話は決まった。たとえ二つのヴァージョンの記事を書くとしても、二ヶ月はあまりにも時間があり過ぎる。その間、何も動かないわけにはいかない。

しかし現状、芦屋と小坂が出てこない限り、事件に新しい進展が見出せないのも、また事実だった。

4

俺は週刊標榜の中田に、アトランティスに記事を書くことは伏せ入江のことを話し、一年以上も仕事をしていなかったから金が必要、という理由で記事を書かせてくれないかと頼み込んだ。

電話先で中田は、ふむふむと尤《もっと》もらしい相づちを繰り返していたが、俺が話し終えると、

『それはちょっと難しいかもしれないなあ』

と身も蓋もない言葉を返してきた。

「霊能力者がからむと胡散臭いですか？」

『いや、それは別にいいんだよ。だいたい面白い事件を起こす奴ってのは、多かれ少なかれ胡散臭いもんだ。でも事件自体が、あんまり面白くないよ』

「入江が殺された事件が、ですか？」

『そう。それに知里アシの兄が殺された事件だって二年前のことだろう？　その時に大して話題にもならなかったんだから、今ほじくり返したって仕方がない』

入江が殺された事件に報道する価値がないと見なされて、俺は無性に入江が気の毒になった。しかし考えてみれば、それも仕方がないのかもしれない。もちろん殺人事件だからテレビのニュースで報じただろう。新聞でも報じたかもしれない。ただ週刊誌はテレビや新聞と違い、週に一回しか読者に情報を届けることができない。月刊誌に比べると速報性が強いだろうが、やはりテレビ、新聞には敵わない。当然、扱う事件は取捨選択される。

もちろん、週刊誌は読んで面白いことが一番だ。だが今回の事件で面白く、扇情的に書け

る要素といったらオカルトしかなかった。週刊標榜はオカルトを扱う雑誌ではない。メインは殺人事件でオカルトは背景に過ぎないとしても、やはり大人の読み物ではないと見なされてしまうのだ。

『妻を亡くして、定年を迎えた初老の男が、一人寂しく殺されたという事件に過ぎないんだろう？　もちろん同情はする。だが、この手の事件をいちいち取り上げていたらキリがないよ』

確かに精治が殺され、芦屋と小坂が失踪しているから不穏な空気を感じてしまうが、たとえば物取りに殺されたという可能性もゼロではないのだ。編集長にしてみれば、金が取れる読み物にはならないと判断するのも無理はないかもしれない。

「僕も警察にあれこれ聞かれて当事者と言えなくもないから、もしかしたら面白い記事が書けるかもと思ったんですが」

『だれか警察にコネでもあるの？　捜査状況をこっそり流してくれるような？』

「いいえ――いません」

と俺は言った。

『そうか、じゃあ、仕方がないな』

俺は落胆したが、中田を恨む訳にはいかない。木根だって中田だって商売でやっているのだ。俺は木根に売り上げを伸ばす魅力的なプランを提供できたが、中田にはできなかった。それだけのことだ。

「すいません。自分の知っている人間が殺されたから、記事にできるんじゃないかって――思い上がっていました」

『いや、いいんだ。もしその入江という人間が殺された事件の裏に、何か大スキャンダルが隠されていたら取り上げられるかもしれない。その時は頼むよ。何しろ銀ちゃんは当事者なんだから』

その中田の口調に、ほんの少しだけ俺を嘲《あざけ》るニュアンスが含まれているような気がして、気分は良くなかった。

また何かあったら記事を書いてもらうからと言い残して中田は電話を切った。脳にダメージを負ったせいで、特ダネをかぎ分ける嗅覚が鈍ってるんじゃないのか――？　そんな彼の心の声が聞こえるかのようだった。

殺人事件だから中田に頼めば記事を掲載してもらえる、と単純に考えた自分の浅はかさに暫く落ち込んだ。だが、よくよく考えればこれで良かったのかもしれない。傾向が違うといえども、同じ事件の記事を別の雑誌にも書いたら、もしかしたら中田は嫌な顔をするかもしれない。これでもし何か言われても、あなたがボツにしたからアトランティスで書いたんです、と言い訳が立つ。

俺は気を取り直して、そそくさと二つの記事を書き始めた。改めて記事を書く段階になって気付いたのだが、やはりアトランティスで書く以上、知里アシがどんな霊能力者か知らなければならないと思い知った。アトランティスの読者だって、妄信的に超常現象を信じている訳ではないだろう。単に目覚めた患者が次々に自殺をしていると煽りたてたところで、それは暗示だと多くの読者が俺と同じ感想を抱くのではないか。もちろん記事は芦屋と小坂に対するメッセージとしての側面はあるが、やはりアトランティスに掲載するに足る不思議な話でなければ木根にボツにされる可能性がある。

俺は杏菜に電話をした。大学の勉強もあるだろうし、あまりこの件にかかわらせるのも悪いな、と思うのだが、嫌な顔一つせず俺の頼みを聞いてくれるので、ついつい甘えてしまう。

『あ、銀次郎さん。どうかしましたか？』

いつの間にか下の名前で呼ばれているが、俺の場合は日常茶飯事なので、特に気にしないようにしている。

「知里百子さんと直接お会いすることはできませんか？　もちろんこちらから出向かせてもらうつもりです」

『え？　本当ですか？　百子さん、喜ぶと思います！』

俺は、知里百子が俺のことを気にしている、という杏菜の話を思い出し、苦笑した。

『でも、もちろん知里アシのことですよね？』

「ええ。いまアトランティスの記事を書いているんですが、やはり知里アシがどういう霊能力者だったのか、それを調べないと書きようがありません。芦屋や小坂が信奉するぐらいだから、それなりに凄い霊能力者だったんでしょう」

もちろん知里アシに本当に霊能力があるなどとは思わないが、少なくともそれをアピールする能力はあったのだろう。もしかしたら彼女のカリスマ性の大部分は、興行師だという兄の精治が担っていたのかもしれない。ならば、尚更彼女がどんな霊能力者として認識されていたのか、ちゃんと調べて確かめる必要がある。

『そうですか――でも百子さん、知里アシさんのこと、本当によく知らないみたいでした。多分、ましてや霊能力者として活動していることなんて初めて知ったって言っていました。会っても有益な情報は得られないんじゃないでしょうか。いえ、会わせたくないって訳じゃないんですよ。ただ、北海道まで足を運ばせたあげく、何も得るものがなかったら申し訳なくて』

と杏菜は、まるで自分のことのように言った。確かに、もし百子が何かを知っていたら、前回電話をかけた時に教えてくれてもいいはずだ。その時は忘れていたとしても、後で杏菜に伝えるという方法もある。もしかして、俺のことばかり話していて、知里アシのことなどほとんど話題にも出なかったのだろうか。

「百子さん以外に、知里アシのことを知っている親戚の方は誰かいないんでしょうか?」

その質問にも、杏菜は明るい答えを返してくれなかった。そもそも兄妹はあまり親戚付き合いをしていなかった上に、葬儀の席で暴れたことで決定的に溝ができてしまった。杏菜が親切にしてくれるからついつい気軽に電話をかけてしまったが、ちょっと認識が甘かったかもしれない。

『銀次郎さん。芦屋さんと小坂さんは知里アシを崇め奉っているんですよね?』

「もちろん、実際のところどうなのか二人に訊かなければ分かりませんが、恐らくは」

『なら、どこで二人が知里アシの存在を知ったのかが分かれば、彼女の霊能力の実体も分かるんじゃないですか? 精治が現れて、芦屋さんに妹のことを教えたなんて話は嘘なんでしょう? 知里アシが府中脳神経外科に入院していたという事実そのものがないんですから』

確かに、杏菜のその考えは理に適っていた。知里アシを調べると言っても漠然とし過ぎている。ならまだ芦屋と小坂の背景を探るほうが合理的だ。たとえ一度だけとは言え、俺は二人に会っているのだから。

彼らはいつ、どこで知里アシの存在を知ったのか――それが分かれば、多くの疑問も氷解するのではないか。

芦屋と小坂の家に出向きたかった。彼らが残した所持品の中から、知里アシに繋がる何かが見つかるのではないか。だが彼らの家は警察が張っている。迂闊に近づくことはできない。そうでなくても、他人の家だ。たとえ空き家だろうが、家主が殺人事件の関係者だろうが、俺に勝手に調べる権利はない。

「あ――」

俺は思わず声を発した。

『どうされました？』

「別居中の芦屋の妻です。息子が自殺したから別居したと思っていましたが、それだけでしょうか？　もしかしたら夫が胡散臭い新興宗教にはまったから別居にまで至ったのかもしれない」

『その宗教が、知里アシですか？』

「そうです」

と俺は電話先の杏菜に頷いた。彼女は彼女で、北海道の友達に頼んで知里百子に更に話を聞いてくれるとのことだった。

礼を言って電話を切り、俺は別居中の芦屋の妻を探そうと思った。だが当然、警察も彼女の元を訪れているだろう。もし俺の動きを知った警察に余計なことを吹き込まれたら、彼女が警戒して会ってくれない可能性もある。

日野に向かって、近隣の家のインターホンを片っ端から鳴らすことも考えた。主婦友達にはもしかしたら連絡先を教えているかもしれない。だがそんなことをしたら、また張り込んでいる警察に見咎められるだろう。前回あれだけ警告されたのに、再び同じ場所をうろうろしていることが知られたら、警察署で事情を話す程度のことは覚悟しなければならない。

芦屋の息子の事件はそれなりに大きくマスコミで取り上げられた。もしかしたら、実家に帰っている妻の元にまで押し掛けたマスコミもいるのではないか。彼らもやはりあちこち訊き回って芦屋の妻の実家を知ったのだろう。それを利用させてもらうことにした。

ネットで検索すると、確かに週刊標榜でも芦屋の息子の事件を取り上げていたようだ。誰がその記事を書いていたのか週刊標榜の中田に訊けばすぐ分かるのだが、そうしたら他誌で書いていることがバレてしまう。もちろん中田が捨てた企画を他誌に持ち込んだだけだから、倫理的に問題はないと思う。だが、結局他誌の企画に協力してくれと言っているのと同じことだ。いい気はしないだろう。できるだけ中田に知られず秘密裏に動きたい。

中野の公立図書館でも雑誌のバックナンバーは所蔵している。週刊標榜はメジャーな雑誌だからあるはずだと問い合わせたが、雑誌のバックナンバーは直近の一年分しか保存していないという。仕方がないから永田町の国会図書館に出向いた。日本の出版物は基本的にすべて蔵書として保管している。最初っからここに来れば良かったのだが、本を読むにはいちいち申請して書庫から持って来てもらわなければならない。貸し出しは原則不可だし、コピーも自分で取ることはできない。考えようによっては至れり尽くせりと言えなくもないが、その分時間がかかる。だが背に腹は替えられない。

昔は本を申請して持って来てもらうまで一時間近く待つこともざらだったが、今日は空いているのか、それとも昔とはシステムが変わったのか、十分ほどで呼び出された。はやる気持ちを抑えて週刊標榜を閲覧室で読む。

記事は意外にもこの時点で既に、芦屋秋宗は地域に迷惑をかける不良であり、体罰を与えた教師を擁護する声も多く出ている、というタッチで書かれていた。したがって被害者側の芦屋の声はほとんど取り上げられてはおらず、学校側に味方する父母の声が大半だった。記事の内容は俺が日野で聞き込みに回って仕入れた証言と、ほとんど同じだった。目新しい情報はないと言ってよく、俺は思わず落胆した。

せっかくなのでコピーを申請した。コンビニの十円コピーと比較すると、若干割高だ。本が出てくるのが早かったから、コピーもすぐ終わるだろう。今は特に目新しい情報がなくとも、家に帰ってもう一度読み込むと、何かアイデアが出てくるかもしれない。もっとも週刊標榜は保守的な雑誌だから、このような論調の記事なのはある程度予想できていたことだ。たとえば有名事件などの取材では向こうのライターとたびたび出くわす週刊クレールはリベラルで反権力だから、学校の体質を徹底的に暴くという論調の記事になる。

週刊クレール――。

俺は思い立って、携帯電話で週刊クレールの記事を検索した。週刊クレールでも芦屋の息子の事件を取り上げていた。それも二回も。予想通りコピーも十分ほどで完了したので、俺は週刊標榜を返却し、次に週刊クレールの該当号を二冊、申請した。

混んできたのか、先ほどよりも少し時間がかかった。俺はせっかく国会図書館にまで来たのに週刊標榜のバックナンバーを読む事しか頭になかった自分を恥じた。

書庫から出てきた週刊クレールに俺は飛びついた。思った通りだった。

週刊クレールは被害者側、特に母親にどこまでも寄り添った論調の記事となっていた。最初の記事は、柔道で怪我をさせられて昏睡状態になってしまった直後のものだ。不良少年であったという事実は「やんちゃをしていた」程度の軽い表現で済まされていた。グズグズと洟《はな》を啜る母親の声まで聞こえてきそうな、情緒的な記事だった。

二番目の記事は、最初の記事よりも小さな扱いだった。芦屋秋宗が昏睡状態から目覚めたという、喜ばしいものだった。運動機能に障害が残ったが必死にリハビリをしているという。

これは週刊標榜だけではなく、他のメディアでもあまり大きく取り上げなかった事実だ。もう皆、事件自体に関心をなくしていたということもあるだろうし、一般的な傾向としては、他人の幸せよりも、不幸の方を読みたがるものだ。週刊クレールはただ芦屋秋宗の事故を伝えっぱなしにするだけではなく、続報をきちんと出したのだから、まだ良心的と言えるだろう。だが、その後、芦屋秋宗が自殺してしまったという記事はほぼどこも出していなかったように思う。事件自体の話題性が、完全に薄れてしまったからだろう。

仕方がない。俺の知り合いで、事件というのは人間関係の中から生み出される排泄物のようなものだと表現したライターがいる。俺たちはそれを拾って飯を食っているのだと。人間関係がなくなることがないのだから、排泄物は次から次へと生まれ出るものだ。一つの事件にいつまでもこだわっていても仕方がない。俺が書いた記事も、事件も、次から次に生まれ、忘れ去られてゆく。後はこうして国の施設によって、少なくとも日本という国が続くまでは半永久的に死蔵されるわけだ。

だが芦屋三郎と、小坂恵美を見つけ出すまで、まだこの記事は生きている。

俺は微かな満足感を胸に週刊クレールの記事をコピー申請した。記事によると、芦屋の妻、静子は、夫、三郎に対して不満を抱いていた。秋宗が学校の体罰のせいで昏睡状態に陥ったのに、学校を告訴するのに消極的な態度だったからだ。記事では三郎が、この地域でこれからも暮らしていくのにトラブルを起こすのは拙い、などといかにも情けない夫のように描いているが、これも彼が加害者の教師に同情的である証拠だろう。三郎は息子がこんなことになってむしろ喜んでいるのに、教師が人生のすべてを破綻させるのは気の毒だと感じているのだ。だが妻はそんな夫の気持ちが分からない。不良だろうが、家庭内暴力を振るおうが、息子は息子だ。だから不仲になった。その頃から既に、静子は別居を考えていた。だが息子の看護に何かと金が必要な時期に別居は得策でなかったと考えた。

秋宗が目覚めて、文字通り静子は泣くほど喜んだだろう。だがその喜びも、秋宗の自殺によって無意味なものとなった。息子が死んだ今、もう夫と一緒にいる意味はない。だから静子は実家に帰り、夫の三郎とは別居した。そして現在に至る。

記事には、静子の人となりも書かれていた。それを読んだ時、俺はまるで点と線が繋がったかのような、確かな手応えを得た。

記事によると静子は北海道から結婚のために東京に出てきた、とあったのだ。つまり静子の実家は北海道にあるのだ。

偶然の筈はない。芦屋三郎は静子を追って、北海道に飛んだ。静子を連れ戻すのは失敗したが、しかし、そこで精治に出会った。精治から自殺した知里アシのことを聞かされ、芦屋は彼女に心酔した。それで知里アシという霊能力者の存在を世間に広める決心をした。

芦屋は、府中脳神経外科で出会った小坂を仲間にした。小坂は芦屋の共犯者的な役割だったのではないか。そして何も知らない入江を使って、俺を今回の一件に引き入らせたのだ。

何故、精治や入江が殺されなければならなかったのか。それは今は分からない。だが芦屋三郎は、自分が始めた計画が、取り返しのつかない悲劇を生んでしまい、心底脅えたのではないか。だから小坂と共に逃げ出した――。

では何故、精治が殺された時点で、二人は逃げださなかったのだろうか。どんな行動を取るにせよ、知里アシを世に広めるという計画は中止されてもおかしくはない。もしかしたら精治の殺人にかんしては、二人は関与していないのだろうか？　そもそも二人にはアリバイがあるのだ。それを素直に受け止めれば、二人は犯人ではありえない。

しかし知里アシの関係者で二人も殺されている。両者がまったく別々の事情で殺されるとは考え難いものがあった。常識的に考えれば、二人の死には何らかの関連性があるのは間違いないのではないか。

精治が殺されるのは計画の範囲内だった。だが入江の死はそうではなかった。だから二人は逃げた――。

いずれにせよ、芦屋静子と会って話を聞いてみなければならない。記事からは静子の実家が北海道にあるとしか分からない。国会図書館を後にした俺は、さっそく週刊クレールの編集長の澤村に連絡し、芦屋秋宗の記事を書いたライターを紹介して欲しい、と頼んだ。こういうことをしたら、中田の耳にも入るかもしれないが、そんな頻繁に会って連絡を取り合っているわけでもないだろうし、取材傾向が違う他誌の記事を参考にすることもそれほど不自然な行為ではない。

澤村は何でそんなことを訊くんだ、と一瞬不審そうな声を発した。俺が、入院中に芦屋と出会って世話になったので連絡先を知りたいが、週刊標榜の記事では被害者家族に取材していない、でも貴誌は芦屋静子に二回も取材しているから——と説明すると、納得したようだった。俺が刺されて、昏睡状態に陥り、一年間の仕事のブランクを余儀なくされたのは業界内では有名だった。そんな人間を追及するのは気の毒だと、遠慮の気持ちが働いたのかもしれない。

入江が殺された事件を澤村が既につかんでいて、逃走中なのだから連絡先など分からないよ、などとつれなく言われたらどうしよう、と思ったがそうはならなかった。たとえ一度耳にしていたとしても、そんな事件など週刊誌で追うような事件ではないと澤村も考え、すぐに記憶から消し去ってしまったのかもしれない。

それに俺が知りたいのは妻の静子の連絡先だ。

澤村が教えてくれたライターは豊福真奈美という女性だった。以前、何かのパーティで名刺を交換した間柄で、俺より一回り年上の年配の女性だ。電話をかけて静子の現住所を知りたいと言うと、日野の家にいないのであれば分からない、とのことだった。確かに静子が芦屋と別居を始めたのは、二番目の記事以降だ。静子の足取りを豊福が知らなくてもおかしくはない。

だが俺は、豊福が今現在の静子の居所を知っていると信じて疑わなかった。証拠のようなものはない。だが俺とてライターだから分かる。あの週刊クレールの記事には、それを書いたライターと取材対象の間の匂い立つような信頼関係が感じられた。ライターが相手に徹底的に同情し、社会正義として学校側に鉄槌を下さなければ、と義憤に燃えている記事。それは週刊クレールがリベラルだから、という理由だけでは到底説明がつかないものだった。

ライターは客観的であらねばならない。だが言うまでもなく、完全に客観的な記事など書けるわけがない。要は程度問題だ。豊福が静子に同情的なのも、同性という理由も決して無関係ではないだろう。

『北海道の住所は知りません。でも以前、別居するとの連絡を携帯電話に頂いたことがあります。静子さんとは何回もお会いしてお話を聞いたので、気を遣ってくれたんでしょう』

「じゃあ、その電話番号は——」

『知っています。でもあなたにお伝えするのは——』

取材対象の個人情報を漏らすのはライターとしての倫理観が許さない様子だった。しつこく食い下がるべきだと思ったが、俺も豊福の気持ちはよく分かったので、なかなかそういう身も蓋もない行動はできなかった。

『私の方から静子さんに連絡致します。それで了承が得られたら、あなたに静子さんの連絡先をお教えするということでよろしいでしょうか？』

「はい。それで結構です」

確かに現状、それが一番妥当な折衷案のように思えた。時間を無駄にするのは嫌だったが、これればかりは待たなければ仕方がない。一日経ち、二日経った。俺はテレビのニュース等を注視していたが、芦屋や小坂が出頭、あるいは死体が発見された等のニュースは報じられなかった。アトランティスへの記事掲載は予定通り進んでいる、という新聞の一行広告でも出そうかと本気で思ったぐらいだ。だが当然、そこには芦屋と小坂の名前を出さなければならず、警察の目に触れるのは免れないだろう。警察に二人の共犯者として、痛くもない腹を探られるのは、それはそれで面倒だった。

二人はどこに消えたのだろう？　これだけ警察が捜索しても見つからないのだから、都内にはもういないのは間違いないのではないか。海外に逃げたのだろうか。だが出国記録から足取りは追えるはずだ。警察が捜査状況を逐一マスコミに発表する訳もないが、海外に逃げたことが分かっているのなら、俺に居場所の心当たりはないか等事情聴取に来てもよさそうなものだ。しかし今のところ何もない。

二人は遠くに逃げた。しかしそれは海外ではない。だとしたらどこだ。北海道という場所が真っ先に思い浮かんだ。何の確証もない。だが芦屋静子の実家が北海道にあることから、今回の事件は始まったのではないか。なら事件そのものも北海道で幕を引かせるのが美しいような気がする。

一週間後、豊福からの連絡があり、俺に静子の住所と携帯電話の番号を教えてくれた。

「静子さん、何か仰っていませんでしたか？」

『何をですか？』

「警察が訪ねてきたとか」

『え？　どうして警察が？　息子さんの事件に何か進展があったんですか？』

「ええ、まあ。息子さんは自殺ということで動かないんですが、ちょっと追ってて」

などと適当にお茶を濁した。豊福は芦屋三郎が現在行方不明という事情を知らないようだった。警察が妻の元を訪れないとは思えないから、静子は豊福に何も言わなかったのだろう。

これで豊福が特ダネの匂いを感じ、独自に動き出さなければいいのだが、と思った。

ネタを明かす危険を冒しても、豊福に警察のことを訊いたのには理由がある。当然俺も、芦屋や小坂に比べれば重要度は低いだろうが、容疑者の一人なのだ。北海道まで出かけて最重要容疑者の妻と会ったら、文句を言われるだけでは済まないだろう。公務執行妨害だとか、迷惑防止条例違反だとか、逮捕する口実はいくらでもあるのだ。もちろんすぐに釈放されるかもしれない。しかし手の内をすべて明かすことになるのは確実だ。

できるだけ静子と接触したことは警察に知られたくない。しかし、こそこそ隠れて俺に会う義務は、静子にはないのだ。

いつまでも悩んでいても仕方がないので、俺は思い切って静子の携帯電話を鳴らした。静子はすぐに出た。俺は自分の身分を名乗り、お時間よろしいでしょうか、お忙しいようでしたらかけ直しますが、と言った。

静子は、

『大丈夫です』

と答えた。どこか気の抜けたような、力のない声だった。やはり心労が酷いのだろう。息子が自殺したと思ったら、今度は別居中の夫が殺人事件の容疑者だ。無遠慮な警察に夫の居所を知っているのではないか、と責め立てられたであろうことは想像に難くない。

俺は今までのことをざっと静子に説明した。別居中といえども、芦屋が彼女を日野に連れ帰そうという過程で知里アシの存在を知ったとしたら、彼女もある程度経緯を知っていて不思議ではない。ましてや入江が俺と接触した以降も、芦屋が彼女と会っている可能性だってあるのだ。だが電話で話していることもあって、向こうの感情の機微が分かりづらく、本当に探り探りの説明となった。

小坂の夫と、入江の妻が自殺したことは話さずにいた。どこまで知っているか分からないが、彼女自身息子を自殺で失っている。あまりに詳細に触れると、彼女の息子のことも話題に出さなければならないだろう。逆鱗に触れてしまい、会話を打ち切られたくはなかった。

『それで一体、どんなご用件なんですか？』

とやはり感情の起伏に乏しい声で、静子は訊いた。

「知里アシ、という女性に心当たりはありませんか？　今申した通り、北海道を中心に活動していた霊能力者なんです。本人は既に死亡していますが、その兄と三郎さんが接触した可能性がある」

『知っています』

あまりにも簡単に言ったので、俺は思わず拍子抜けした。

「本当ですか。やはり地元の北海道では有名な霊能力者だったんでしょうか？」

『違いますよ！』

唐突に、そしてまるで激高するように静子は言った。怒らせてしまったか、と思ったが、それよりも何故今の言葉に彼女がそこまで声を荒らげたのか、そこに興味があった。

『アシさんはタロットカードで占いをすることが好きだったんです。ただそれだけの女性ですよ。変な超能力の雑誌を読んでいたけど、自分に超能力がないからそういう雑誌を読むんです』

はっ、と息を呑んだ。

「その雑誌ってアトランティスですか？」

『さあ、よく知りませんけど、確かにアト何とかって雑誌だったかもしれません。昔のことでよく覚えていませんけど』

恐らくアトランティスだろうと俺は思った。この手の雑誌の中では最もメジャーだから、北海道の小さな書店で売られていても不思議ではない。俺は知里アシがアトランティスに取り上げられたのではないかと思っていたが、まさか単に愛読者だったとは。

「じゃ、じゃあ、霊能力者として活動していたってことは――」

『それは精治さんや夫が勝手にそう言っているだけです。東京の人がわざわざ北海道まで調べには来ないだろうから、簡単に騙せると思ったんじゃないですか』

「でも何故、そんな嘘をついたんでしょう？」

『それは普通の人間よりも霊能力者の幽霊の方が、次から次に人に取り憑いてゆくことに説得力があると思ったんじゃないですか』

くだらないと言わんばかりに、静子は言った。じゃあ俺はそのくだらないことに今まで散々振り回されて来たというのだろうか。

「すいません。芦屋さんは知里アシさんと面識はあるんですか？」

『昔、一度だけ会いました。彼女が高校生の時だったかしら、その時からタロットカードとか占いが大好きで、何だか陰気くさい子だったけど』

「失礼ですが、芦屋さんは知里アシさんと同年代なんですか？」

女性にこの手の質問をするのは慎重にしなければならないのだが、今は興奮の方が勝っていた。

『向こうの方が年下だと思いますよ。それがなにか？』

「あの、芦屋さんと知里アシさんとは、いったいどういうご関係なんですか？」

『昔、私はお兄さんの精治さんと交際していたんです』

俺は思わず声を上げそうになった。

次々にパズルのピースがはまってゆく感覚がする。静子は息子の事故、そして自殺をきっかけにして夫と徹底的に不仲になり実家に戻った。そこで遠い高校時代の恋人と再会した。静子を連れ戻そうと北海道にやってきた芦屋は精治と出会った。そこで芦屋は知里アシの存在を知ったのだろうが、もしかして精治の殺害も、妻を奪った彼に対する復讐に、芦屋が仕組んだものなのだろうか。

「そちらで精治さんと再会しましたか？」

と俺は訊いた。その質問にイエスという答えが返ってくることを信じて疑わず。だが、

『いいえ。会ったりなんかしませんよ』

と静子は言った。

「本当ですか？」

『私が、高校時代に付き合っていた恋人と、今になって浮気したって言いたいんですか？』

「いえ、そこまでは――」

怒らせてしまっただろうか、と思ったその時、

『あの人とはもう二度と会いたくありません』

と吐き出すように静子は言った。

『そりゃ、もう何十年も経っていますけど、あんな酷い仕打ちをされて、また会いたいなんて思う筈がないですよ』

「いったい、何を――」

『どうして私が、あの人と別れたか知ってます？　自分の妹と関係してたからです！』

その静子の答えに、俺は驚かなかった。むしろ心のどこかで予想していたのかもしれない。

葬儀の席で精治が暴れたきっかけは、兄妹の佇まいをまるで夫婦のようだと冷やかされたからだと。その中傷が核心を突いていたからこそ、精治は乱暴を振るったのだ。

俺は知里百子の話を思い出す。アシは部屋の片隅で正座してポロポロ涙を流していたと。精治が束縛しているから遂に結婚できなかったんだと。

俺はアシが精治の呪縛から逃れるために東京に行ったとばかり思っていた。だが府中脳神経外科にアシが入院していなかったことが分かった以上、その推測は成立しない。確かにアシは精治から逃げた。北海道の海岸の、松の木で首を吊ることによって。死んでしまえば、追いかけられることも、連れ戻されることもないのだ。

『そういう噂が聞こえてきたから、精治さんに問い詰めたんです。彼は否定しませんでした。だから別れたんです』

精治とアシは仲の良い兄妹だったのだろう。それは一緒に映画を観に行ったり、買い物に行ったり、恋人然としたものだったのかもしれない。普通の兄妹に比べれば、凄く仲がいいという程度のものに過ぎなかったかもしれない。だが、そんな二人を誰かが冷やかしたのではないか。そして噂が広まった。何しろ地方のことだ。東京などに比べると皆、噂好きだったのかもしれない。精治はそんな噂に辟易していた。静子が妹との関係を疑うことも辟易していた。だから開き直って、思わず、そうだ、と答えてしまった。

静子にせよ、精治とまるで恋人のように仲の良いアシのことが気に入らなかった。アシの印象を訊いた時、静子は、タロットカードで占いをする、ただそれだけの女性、などと言っていた。仮にも恋人の妹だ。もっと他に何かあるのではないか。その程度の印象しか持っていない、あるいはそれ以外のことなど思い出したくないのは、最初っからアシのことを良く思っていなかったからではないか。

精治は静子という恋人を失って後悔した。だから元から妹に性的な興味を持っていたこともあり、妹の肉体にはけ口を求めた。アシはそれがトラウマになり、死ぬまで精治に縛られ続けた。もう事実がどうだったかは確かめることができないし、断定しないまでもその可能性を匂わせる記事を書いたところで、誰も文句は言わないだろう。アシも、精治も、もう死んでいるのだ。

「旦那さんが精治さんと会っていた形跡はなかったですか？」

『ないですよ！　どうしてあの人が精治さんと会うんですか⁉』

ない筈はなかった。絶対に会っている筈なのだ。そうでなければ俺の推理は成立しない。

「失礼ですが、旦那さんとはどこで知り合われたんですか？」

『見合い結婚です。でも今更なんですけど、失敗だったんですね。きっと精治さんと別れてしまったから、むしゃくしゃして親の決めた結婚相手に飛びついてしまったんだと思います。

高校を卒業して、すぐに嫁ぎました』

「それからずっと日野ですか？」

『そうです』

「旦那さんと最近、いつお会いしましたか？」

『警察の方にもそう訊かれました。こっちに来てから一度も会っていません』

芦屋が北海道にまで来て、妻を連れ戻そうとすることは一切なかったということか。ではどこで精治と会ったのか。

はっとした。ある意味、芦屋三郎、静子夫妻は有名人なのだ。息子の事故はテレビのニュースで報じられ、週刊クレールのような被害者家族に同情的な雑誌でもインタビューを受けた。俺は以前、知里精治がアシを追って東京にやってきたなどという推測をしたが、事実はそうではなく単純に仕事の都合でこっちに出てきただけではないか。

「芦屋さん。息子さんの事件にかんして、マスコミに顔を出すような取材を受けましたか？」

するとと果たして、

『はい』

という答えが返ってきた。

『雑誌とテレビのニュースの取材です。昏睡状態の息子と一緒にカメラに映りました』

「お名前とお顔を出されたんですね」

『そうです』

東京に出てきた精治は、偶然そのニュースを見た。そして高校時代に付き合っていた恋人の、今現在の境遇を知ったのだ。

高校時代に交際し、その後妹と関係を持ち、独身で通した男の気持ちは俺には想像することしかできない。ただ俺だったら、どんなに懐かしくても、自分から積極的に行動を起こして会いに行こうとはしないだろう。向こうには向こうの生活があるのだ。それに相手はもう自分のことを忘れているかもしれない。

今はネットの時代だ。こういう事件や事故が起きるたびに、心無い人々に関係者の住所がさらされる。ましてや体罰で生徒が昏睡状態に陥るなんて、日野の地域を巻き込んだ騒動になっただろう。少なくとも芦屋の日野の住所にかんしては比較的簡単に調べることができるのではないか。だが精治がどんな判断をしたのかは不明だが、静子に会いに行かなかったことは事実だ。だがその代わりに夫の芦屋三郎と接触した。証拠はないが、状況からしてそうとしか考えられないのだ。

静子が精治に心当たりがないのであれば、恐らく精治が芦屋家に接触したのは、秋宗が自殺して以降のことだろう。それによって夫婦の溝が決定的になり、静子は北海道の実家に戻ってしまったのだから。だが精治はそのことを知らず、日野の住所を手がかりに静子にコンタクトを取ろうとした。そこで芦屋三郎と出会ったのだ——。

何故、秋宗が自殺したことを知り、急に精治は静子に会おうと動き出したのだろうか。もちろんそれは、考えが変わった、の一言で説明がつくものだ。いくら読み物として分かりやすい記事を書きたいと思っても、人間の心理は複雑だ。すべての行動に理由をつけるなどできるはずもない。

しかしそうは言っても、妹と関係を持ったことを知られた静子に、今更会いに行こうとするだろうか、という疑問は残った。

「芦屋さん。今、旦那さんは行方が分かりません。居所に心当たりはありませんか?」

『ありません』

そう素っ気なく静子は言った。

『警察の方にも訊かれました。でももういいんです。離婚しようと思っていますから。どうぞ夫のことは好きに書いてください』

芦屋三郎のことにかんしては、取り付く島もないという感じだった。

「精治さんが亡くなったことはご存じですか?」

『あの人が殺人事件の発見者となって警察にあれこれ訊ねられたのは知っていましたが、ろくでもない人はろくでもない事件に巻き込まれるんだなあ、としか思いませんでした。あの人が行方不明になってから、実は被害者は精治さんだと教えられて驚きましたけど、それだけですね』

嘘だ、と俺は思った。昔付き合っていた恋人の死体を、別居中とは言え夫が発見したのだ。何も思わない人間はいないだろう。もちろん、だからといって、彼女がその事件に関与しているという短絡的な話にはならない。もしかしたら、かかわり合いになりたくないから、無関心を装っているだけなのかもしれない。

「精治さんが殺された時点で、芦屋さんの元に警察が来ることはなかったんですね？」

『はい』

確かに被害者は発見者の妻の高校時代の恋人、などという関係は、いくら警察でも考えもしなかったのではないか。その時点で静子に話を訊いていれば、もしかしたら入江が殺されることもなかったかもしれない。だがやはり芦屋と小坂にはアリバイがあったことは如何ともし難く、警察は二人を早々と容疑者圏外に置いたのだ。

「小坂恵美という方に、心当たりはありませんか？」

『本当に警察と同じことを訊くんですね』

呆れたように静子は言った。当然、俺が調べるようなことなど、警察はとっくに手をつけていると考えなければならない。

『知ってますよ。府中の病院で、旦那さんが息子と同じ症状だった方でしょう。ちょっと話をしましたが、それだけです』

「でも同時期にいなくなっているんです。もしかしたら――」

『男女の関係にあると？』

「いえ、そこまでは――」

『構いませんよ』

そう静子は鼻で笑うように言った。

『どうせその方が離婚しやすくなるでしょうし』

浮気どころか、もしかしたら芦屋は入江を殺した犯人かもしれないのだ。静子には殺人犯と結婚していた女として、心無い人々からあれこれ言われるだろう。また過去に体罰の被害者の家族として世間から同情の目で見られていたこともあり、マスコミの好餌になるだろう。

しかしそんなことは静子は分かり切っているだろうから、いちいち俺が言うこともないと思った。彼女から得られる情報はもうないと分かったので、またご連絡するかもしれません、と言って話を終えた。静子は、はい、とだけつぶやき、彼女の方から電話を切った。

芦屋と小坂は精治の死体を発見した際、彼の部屋に向かった理由を警察にどう説明したのだろうか。知里アシも府中脳神経外科の入院患者だったと入江は俺に説明した。だが結局それは嘘だった。入江が意図的に嘘をついていた訳では恐らくないだろう。入江が芦屋と小坂の仲間になったのは、精治が殺された以後だ。二人は入江も騙していたのだ。

だが警察は騙せない。いくら病院側が患者のプライバシーを守ると言っても、警察が調べに来たら記録を明かさなければならないはずだ。知里アシが患者でないことは警察にすぐに知れる。つまり二人と精治の関係について、芦屋と小坂は、警察に対する説明と、俺と入江に対する説明の二通り用意していたに違いないのだ。

何故、そんなことをしたのだろう。矛盾点をつかれて嘘がばれるとは思わなかったのだろうか？　現に今、そうなっているではないか。

最初に警察にした説明を、そのまま押し通す訳にはいかない事情が生じたのだ。だから知里アシが府中脳神経外科に入院していた、などという嘘をつく必要が生じた。何故――？

例の、知里アシの魂が患者から患者へと乗り移るという話だ。もちろんそんなことは最初っから眉唾物だが、知里アシは霊能力者でもなんでもなくアトランティスの愛読者に過ぎなかったことが分かった今となっては、芦屋と小坂が彼女を霊能力者に仕立てたのは恐らく間違いないだろう。だが知里アシには霊能力者としての活動実態がない。そんなものを信奉する人間を演じるのはいかにも不自然だ。

だから霊能力があると主張する人間を用意した。それが知里精治だ。死人に口無しで、彼が妹に霊能力があると言っていたと説明したところで、こちらに確かめる手段はないのだ。最初に、何らかの理由で、芦屋秋宗が自殺をした。その理由は分からないが、それ自体は不自然ではないだろう。日本では年間三万人近くが自殺しているのだ。せっかく昏睡状態から目覚め、助かったのに、自ら命を絶つのが信じ難いのは事実だ。でもその理由は他人には推し量れない。

息子が自殺した結果、静子は日野の家を出て北海道の実家へと戻った。そして詳細は不明だが、芦屋は精治と出会った。小坂がこの件に介入したのも、ちょうどその頃ではないのか。芦屋と小坂は二人で精治の死体を発見したのだから。

それから、小坂の夫が自殺する。これも理由は分からない、三万人近くのうちの一人だ。もしかしたら事前に妻に秋宗のことを聞かされていて、本当に暗示の効果で自殺してしまったのかもしれない。

いずれにせよ、小坂にとっては寝耳に水の出来事だっただろう——だがその小坂直人の自殺によって、二人は知里アシの霊能力による自殺連鎖という筋書きを創作し、入江と俺に接触を図ったのだ。

何故そんなことをしなければならないのか、という疑問はもちろんある。しかしそれが一番妥当な筋書きのように思えてならない。

このことを刑事の五島と桐谷に伝えようか、と思った。もちろん、精治の殺害の状況、そして発見者の芦屋と小坂の供述を知りたかったからだ。しかし、あの二人に会って今の推理を伝えたとしても、それと見返りにこちらが得るものなど一つもないし、うろちょろ動くなと文句を言われてお終いだろう。

問題はアトランティスだった。

これはやはり週刊標榜に載せるに相応しい事件かもしれない。実際に記事にするとなると、もう少し詳細に調べなければならないが、有名でなくとも事件自体が面白いものであれば、中田はゴーサインを出してくれるだろう。たとえ芦屋や小坂が週刊標榜を読まずとも、事件そのものが世間の話題になればいずれ二人は炙《あぶ》り出される筈だ。

だがアトランティスにはどう説明すればいいのだろう。編集長の木根には世話になっている。この期に及んでやはり週刊標榜で書きたい、などと言い出すと、さすがに仁義にもとるだろう。しかし知里アシが霊能力者でもなんでもないと分かった今、いくらあの二人をおびき出すためでも、事前の計画通りの記事を書くのはライターの良心に反する。捏造記事を書くことになるのだから、発覚した暁にはこの仕事を干されてしまうかもしれない。

俺は杏菜に電話をした。そして今までの経緯を簡単に説明した。さすがに彼女も困ったような声を出した。

『確かにそれは難しいですね』

「あの、こう言ってはなんですが、オカルトの記事の裏取りというのは、どの程度されているんでしょう？」

『それは程度問題ですね。ただ百パーセント信憑性のある記事しか掲載しないとなったらアトランティスのような雑誌はほとんど出版できないですね』

それもそうだ。たとえば心霊写真など、それをどこかの大学に持っていって、詳しく調べるなどということはしないだろう。これこれこういう理由でこのようなものが写り込んでしまっただけで、幽霊ではないですね、と冷徹に分析されるのがオチだからだ。だから最初っから科学者に調査など依頼しない。もし捏造を疑われても、知らなかった、と言えば済むことだから。

俺はオカルト雑誌の仕事にもかかわらず、あまりにも普通のやり方で取材を進めてしまったかもしれない。アトランティスの記事など週刊標榜で書く時と同じやり方をしたら、あちこちボロが出てくるに決まっているではないか。

『インチキ霊能力者を暴くとか、そういう一般誌が取り上げるような企画ならいいと思うんですけどアトランティスはちょっとそういうカラーではないんです。銀次郎さん、これはオフレコですけど』

「はい」

『正直言って、私だって心の底からオカルトを信じているわけじゃないですよ。でもそれ言ったら木根さんだって、他のスタッフさんだってそうだと思うんです』

確かにオカルトを信じる、信じないはかなりデリケートな問題だ。俺だって基本的には信じていないが、もしかして、と思う気持ちが一パーセントもないのか、と問われると考え込んでしまう。逆にオカルトを信じている者も、もしかしたらインチキかもしれない、という気持ちがまったくないと言ったら嘘になるだろう。ましてや心の底から百パーセント、オカルトを信じなければアトランティスの編集にかかわってはならない、などと言ったら仕事はできなくなる。その程度の打算は、大なり小なり、職種を問わず社会人なら誰だって持ちあわせているだろう。

『読者だって、胡散臭いことを承知で楽しんでいるんですよ。にもかかわらず、そんな科学でオカルトを解明するなんて当たり前のことをやったら、皆白けてしまいます』

「私はいったいどうしたらいいでしょう？」

バイトの女の子にそんなことを訊いても答えられないと思うが、そう言わずにはいられなかった。アトランティスのような雑誌に記事を書くには、俺はあまりにも生真面目すぎたのかもしれない。

　杏菜は、

『取りあえず、木根と相談させてください』

　と言って即答を避けた。確かにそう答えるしかないだろうということは分かった。

　だがしかし、彼女には彼女なりの考えがあるようだった。

『でも知里アシに霊能力がないと決まった訳ではないんでしょう？　あくまでも静子さんに心当たりがないだけで。実際、静子さんは高校時代に精治さんと付き合っていただけ。その時点で知里アシは何歳でしょう？　中学生ぐらいじゃないんですか？　静子さんが精治と別れた後に知里アシに霊能力が芽生えることも十分考えられます』

「それは――」

　俺は最初から霊能力者など眉唾物だった。そこに知里アシを知っている静子の証言を得られたから、ああやはりと納得したのだ。だがしかし、それは言ってみれば見込み取材のようなものではないのか。確かにオカルトの信憑性の有無は差し置いて、できるだけ客観的に事態に鑑《かんが》みれば、少なくとも理屈の上では杏菜の方が正しいのかもしれない。

　だが、問題は残る。

「だとしたら知里アシの霊能力とはいったい何なんでしょう？　魂が乗り移ることじゃない

のは事実です。何故なら、知里アシは府中脳神経外科とはまったくなんの関係もなかったからです」

『そうでしょうか？　芦屋秋宗は知里アシの兄が高校時代に付き合っていた相手の息子です。接点はあります。だからまず芦屋秋宗に乗り移った。そこから府中脳神経外科の入院患者という接点を辿って、次々に乗り移ったということだって考えられるでしょう？』

「まあ、それは確かに」

もともとオカルトだ。どうだって理屈はつけられるのだ。

だが芦屋と小坂が俺と入江に嘘をついていたのは事実だ。知里アシは府中脳神経外科の患者だったという嘘を。もし今、杏菜の言った理屈で知里アシの転生が成されたとしたら、なぜ二人はあんな嘘をつく必要があったのだろう。

『だから多分、記事は書けると思います。でも私、それよりも気になることがあるんです』

「何がです？」

『芦屋と小坂が銀次郎さんに記事を書かせてアトランティスに掲載する理由です。最初の推理では二人が知里アシを崇拝していて、彼女の名前を世間に広めるためということでしたね？』

「――はい」

『さっきアトランティスの読者は胡散臭いことを承知で楽しんでいると言いましたけど、もちろん本気で信じている人もいますよ。むしろそういう人たちはアトランティスの誌面に載る方ですけど』

「分かります」

『最初の銀次郎さんのお話を聞く限りでは、その芦屋と小坂の二人、あと亡くなった入江さんは、本気で信じるタイプの人なんだなあと思ったんです。でも今のお話だと、何だか芦屋秋宗と小坂直人の二人の自殺を関連付けるために、二人が知里アシを霊能力者に仕立てたように思えてならないんです。もしその銀次郎さんの推理が当たっていたら、二人は当然、知里アシが霊能力者でないことを知っているということですよね？』

「そういうことになるでしょう」

『つまり二人が銀次郎さんを引き込んだのは、銀次郎さんがライターだから、知里アシの記事を書かせて、彼女が霊能力者であるという既成事実を作ることだった――本当だとしたら、相当ずる賢い人たちです。オカルトを本気で信じる人たちは、ある意味で純粋なんです。アトランティスの記事で姿を現せと呼びかければ、もしかしたら呼びかけに応じて出てくるかもしれません。でもずる賢い人たちは、最初っからそんな記事は無視するんじゃないでしょうか』

確かにその可能性は高いように思った。当初俺は、芦屋と小坂に騙されていたと知った入江が二人と口論となり、二人が入江を殺して逃亡したと思っていた。その騙されていたというのも、知里アシが府中脳神経外科に入院していなかったことに対してであり、その方が彼女の霊能力者としてのカリスマ性を演出できるからだと。だが病院が違うどころか、知里アシは霊能力者でもなかった。芦屋と小坂の言っていたことはすべてでたらめだったのだ。

精治殺害事件にかんしては、彼の死を利用して、知里アシを霊能力者に仕立てた可能性があるから、計画の一部と言えるだろう。だが入江殺害事件は完全にイレギュラーなもののように思う。何しろ、俺が知里アシが府中脳神経外科に入院していなかったことを暴いた途端に、入江は殺されたのだから。

何もかもが嘘だったのだ。きっと芦屋と小坂は計画を投げ出してどこかに逃げたのだろう。二人が知里アシの信奉者という前提があったからアトランティスに記事を書こうということになった。だがそんな前提がない以上、今更アトランティスに記事を書いても仕方がないことだ。

しかしそれはあくまでも俺の都合だ。木根は俺のために誌面を空けているだろう。俺が記事を書けないとなったら、別の記事を改めて用意しなければならない。アトランティスは俺と芦屋、小坂を繋ぐ連絡板ではない。商業出版物だ。決して私物化はできない。

『あの、銀次郎さん。僭越なことを言うようですが』

「はい」

もう何でも言ってくれ、という気持ちだった。

『記事は知里アシの霊能力にスポットを当てるものでいいと思います。確かに知里アシは府中脳神経外科の入院患者ではありませんでした。でも退院した患者が次々に自殺しているのは事実ですよね？　それに知里アシは、芦屋秋宗の母親の元恋人の、妹です。兄の元恋人が産んだ子供を自殺に追いやったという記事の流れでいいと思います』

「でも証拠もなしに、そんな――」

そう言いかけて俺は黙った。この手の話に証拠も何もない。確かに起きたことをそのまま捉えれば、杏菜の言うような話も成立する。

『しかし、彼女の魂はそれで成仏せず、芦屋秋宗が入院していた病院に舞い戻ってしまった。後はその繰り返しで、今は銀次郎さんの身体の中にいる――そういう流れの記事なら、まったく問題ないんじゃないんですか？　オカルトの要件はクリアしているし、起きたことに嘘はありません』

「そうですね」

俺は素っ気なく言った。そんなことは杏菜に言われなくても分かっているのだ。

「問題は、そんな記事を書いたところで、恐らく芦屋や小坂には届かないということです。もちろん仕事でやるのだから、あの二人を呼び寄せられるか否かは二の次なんですけど」

嘘だった。俺にとってはそれが何より重要だった。そうでなければ畑違いのアトランティスで記事など書かない。

『そもそも、芦屋や小坂は、どうして知里アシが霊能力者だとでっち上げてまで、芦屋秋宗と小坂直人の死に関連付けたかったんでしょうね？　それを暴いて上手く記事に折り込めば、二人を告発するものになるんじゃないでしょうか？』

「でもそれはどちらかというと週刊標榜に相応しい記事のような気がします」

彼らは何らかの目的でオカルトを利用した。つまり彼らの真の狙いはオカルトとはまったく別のところにある。二人の目的を暴けたとしても、それを記事にしたところでアトランティスのカラーにはあわない。オカルトではないのだから。

だが、杏菜が次に言った言葉は、俺の予想の範疇を越えていた。

『分かっています。ですから、本当の霊能力者に彼らの目的を暴いてもらうというのはどうでしょう？』

「本当の霊能力者⁉」

俺は思わず大きな声を上げてしまった。

『はい。当然アトランティスはそういう方々との強いパイプを持っていますから。適任者は大勢いると思いますよ』

「本当に霊能力で事件が解決できるんですか？」

『多分、できないと思います』

「え？」

正直、杏菜の話についていけなかった。

『アトランティスでも、行方不明になった人物を霊能力者が捜索、という特集を何度か行いましたが、正直それで見つかったことは一度もありません。当然ですよね。それで済むなら、警察の役割は何？　って話になりますから』

俺の脳裏を、テレビでよく見かける『ＦＢＩ霊能力者緊急来日』等の触れ込みのオカルト番組が過った。確かにあの手の番組で本当に行方不明者が発見できたら、番組の枠を飛び越えて大きな話題になるだろう。だがほとんどの場合、番組の枠内でこぢんまりとして終わる。霊能力者による捜査の結果が芳しくなかったからだ。

『だから、事件そのものは銀次郎さんが解決するんです。ただし調査のある部分に霊能力者の協力を得た、という説明を付け加えるだけで、十分アトランティスに掲載できる記事になります』

俺は数秒黙り込み、そしておもむろに、

「それは捏造ではないのですか？」

と訊いた。すると杏菜は、

『それを捏造と言うのであればアトランティスの記事の半分以上がそうです』

といけしゃあしゃあと答えた。

『インチキの霊能力者を、本物の霊能力者が暴くという記事は、ありそうでなかったです。それなら、きっと木根も賛成すると思います』

倫理観云々はこの際置こう。警察を差し置いて俺一人で芦屋と小坂の企みを暴くことが可能か、ということも置こう。問題はそこにはない。事件が霊能力とは関係ないと分かった今アトランティスに掲載する意味は、芦屋と小坂が読む可能性が高いから、という以外ない。今更二人が俺の記事を読んだところで、姿を現す可能性はないように思うのだ。その記事が事件の真相に肉薄していればしているほど、二人は余計に姿をくらますのではないか。

もし事件の真相を俺が突き止められたとしたら、それはもう十分週刊標榜に書く価値のある記事だ。確かに木根に対する道義的責任はある。だがしかし、そこまでしてアトランティスに記事を書かなければならないのだろうか。

『迷っているようですね』

俺が急に口数が少なくなったことを慮るように、杏菜は言った。

「え、ええ――。自分で調べたものを、霊能力者のお告げによって情報を入手したと捏造するなんて、やはりちょっと抵抗があります」

俺は正直に言った。

『でもアトランティスに書いた方が、あの二人が読む可能性が高いんでしょう？』

「今となっては、どうでしょう――」

俺は言葉を濁した。杏菜の申し出が、あまりに突拍子もなかったので、こちらも気持ちが萎えていた。木根に土下座して謝って、今回の話はなかったことにしてくれ、と頼む自分の姿が脳裏に浮かんだ。木根もこの業界は長い。この手のトラブルは日常茶飯に違いない。きっと許してくれるだろう。そんな自分に都合の良い期待が脳裏を過るのと、杏菜が口を開くのはほぼ同時だった。

『結局、芦屋と小坂の目的は、芦屋秋宗の死と、小坂直人の死を関連付けるためなんですよね？』

「え？　あ、ああ。そうですね」

『次に二人は入江さんに声をかけた。何故でしょう？』

「小坂直人が自殺した時と、昏睡状態から目覚めた時期が一緒だったからじゃないですか？」

『でも二人の目的は、最終的には銀次郎さんだった筈です。銀次郎さんが目覚めたら記事を書いてもらいたいがために、二人は今回の計画を思いついたってことでしょう？』

「ええ――」

杏菜は声を潜めて、言った。

『でも、入江さんの奥さんが自殺する前に、銀次郎さんが目覚めてしまったら、いったいどうするつもりだったんでしょう、二人は』

俺は暫く黙った。杏菜も黙り込んだ。お互いに、相手が先に口を開くのを待っているかのようだった。でも対面して話しているならともかく、電話でいつまでもこんなことをしていられない。根負けしたのは、俺の方だった。

「――まさか、二人が入江の妻を殺したと？」

『銀次郎さんの推理の詳細を詰めていくと、そう考えざるを得なくなります。銀次郎さんが目覚めるタイミングは誰にも分かりません。そうしたら銀次郎さんが目覚めた時に、今の番の人を自殺に見せかけて殺さなければならないでしょう？』

確かに、前の人間が自殺した時間と、目覚めた時間が詳細に一致しているか否か確かめる術はない。目覚めた時間は病院に記録が残っているかもしれない。だが自殺した死体から、分単位、秒単位で死亡推定時刻を割り出すのは、現在の法医学では不可能だ。

あくまでも前の人間が自殺した時間と、同じタイミングで目覚めたというだけ。入江は府中脳神経外科に情報提供者がいると言っていた。その人物が俺が目覚めたことを芦屋と小坂に告げ、二人が入江の妻を殺害した。これで辻褄はあう。しかし――。

「自殺に見せかけて殺すなんてことができるでしょうか？　警察が検視したら分かりそうなものですけど」

『とにかく、そういう論調で記事を書くんです。もし違っていたとしたら、芦屋と小坂は記事に抗議するために姿を現すんじゃないでしょうか』

「うーん、それはどうかな？」

思わず俺はざっくばらんな口調になって言った。

「そもそも二人には入江殺害の疑いがかかっている。逃げているのだとしたら、何らかの事情を知っているんでしょう。殺人にかかわって逃げている人間が、別の殺人の疑惑がかかったからと言って、姿を現しはしないと思います」

『それはもちろんそうなんですけどね。何だか、お話を聞く限り、その二人って、もともと宗教がかっているみたいじゃないですか？』

俺は二人とは新横浜で一度しか会っていない。それでも二人は入江とはあまりにも異なる印象を受けた。確かに、何か企んでいて俺や入江を騙そうとしているのであれば、もっとわざとらしいほど社交的な態度を取ったかもしれない。ただ、そのことも計算に入れた上でのあの態度かもしれない。とにかく彼ら二人を信じる訳にはいかない。

『もともと、何かの宗教を信じているからこそ、スケープゴートとして知里アシを持ち出したんじゃないですか？　芦屋秋宗と小坂直人を結びつけるにしたって、普通の人は霊魂が乗り移るなんて発想はなかなか出ないと思います。むしろ入江さんがそれを素直に信じたのが意外ですけど』

確かにそうだ。だが入江和子が自殺したのは、芦屋と小坂が入江夫婦に接触した後だ。素直な入江は暗示という発想などなく、二人の言うことを愚直に信じてしまったのだろう。

『信じているからこそ、正しいと思ってやっているからこそ、自分の行為にプライドを持っていると思います。やってもいないことをやったと書き立てられたら、我慢できなくなって出てくるんじゃないでしょうか？』

「――一理あるかも」

と俺はつぶやいた。

「でも、問題はあります」

『何でしょう？』

「もし本当に二人が、入江さんの奥さんを自殺に見せかけて殺したんだとしたら？」

『でも銀次郎さん、今検視すれば分かると――』

「確かにそうです。でも警察だって絶対じゃない。もしかしたら捜査が杜撰《ずさん》で見逃してしまったのかもしれない。そう考えれば、一応、私も含めた府中脳神経外科の四人の患者に接点ができますから」

そんなことは、まずあり得ないと思う。だが万が一ということがある。現実問題、今回の事件には死人が多い。知里精治、入江太一、この二人は殺人による死だ。一方、知里アシ、芦屋秋宗、小坂直人、入江和子が自殺によって死んでいる。四人も自殺しているのだ。もしかしたら一人ぐらいは殺されて、それに警察が気付かないということもあるのではないか。日本では起こる自殺事件の一件一件を、果たして警察はどの程度徹底的に調べるのだろうか。

俺は杏菜に言った。

「とにかく、そういう方向で記事を書きたいと思います。仮にそれで芦屋と小坂が姿を現さないのであれば、記事の内容は正しいってことだから、何も不安がる必要はないですね」

そう言って俺は笑った。杏菜は笑わなかった。

『本当ですか――？　私の思いつきを採用するんですか』

「いいでしょう？　何も問題はない」

『でも――』

意外にも、自分の案を採用された途端に杏菜は怖けづいたようだった。きっと杏菜は俺が、うーん、それはどうかな、と言った時、安堵しただろう。自分のアイデアを否定されたから。芦屋や小坂は入江を殺したのかもしれない。そんな人間をおびき寄せると簡単に言うが、もしかしたら記事のせいで彼らによってまた人が殺されるかもしれない。真っ先に警戒しなければならないのは、もちろん記事を書いた俺だろう。アトランティスの編集部の人間も危ないかもしれない。

もし何かあった時、責任を問われるのは、そんな危険な記事を書いた俺、そしてアイデアを出した杏菜だ。そんな当たり前のことに彼女は今更気付いたのだ。

「今になって怖けづくなら、芦屋と小坂が入江さんの奥さんを殺しただなんて、言わなければよかったんだ」

俺は完全に年下の学生を相手にするような口調で言った。クライアント側の人間だと思っていた杏菜が、急に頼りなく、小さな存在に思えた。

『私――銀次郎さんと話すだけで楽しくて、だからいろんなことを考えて、思いついた事を後先考えずに話してしまったんです。まさか銀次郎さんが、私の思いつきを採用するなんて、申し訳なくて――』

「何かあったら、あなたの責任になると？」

『――はい』

「大丈夫です。記事の責任はライターにあります。仮に私が殺されても、それはアイデアを出したあなたの責任ではありません。あなたのアイデアを採用した私自身の責任なんです。そういうものです」

『銀次郎さん。殺されるなんて言わないでください』

俺は思わず苦笑した。ミイラ取りがミイラになるではないが、凶悪事件を追うライターが真相に肉薄し過ぎたあまりに殺されるなど――珍しくもないのだ。秋葉原で刺された、この俺自身が証人だ。

もう一度、念を押すように、大丈夫です、と俺は言って杏菜との通話を終えた。

アトランティスに記事を書くために、霊能力者のお告げを利用するという方向で話はまとまった。だがもちろん、霊能力者に事件を解決してもらうことを期待しているわけではない。それはアトランティスに記事を掲載するための方便で、事件自体は結局俺が解決しなければならないのだ。

俺はまず入江和子の自殺の件を調べた。もちろん俺だって彼女が芦屋や小坂に殺されただなんて、半信半疑だ。ただそう記事に書くとプライドを傷つけられた二人が姿を現すのではないか――それが杏菜の考えだった。もちろん、もし本当に入江和子が芦屋や小坂に殺されたとなると、記事の正確性が保たれる代わり、二人を見つけることは期待できなくなる。

俺は中野の図書館に向かった。また国会図書館に行けば確実なのだが、新聞記事にかんしてはオンラインのデータベースをどこの図書館からも検索できるはずだった。古い新聞記事は新聞の画像をそのまま保存しているので一枚一枚観てゆくのはかなり面倒なのだが、八〇年代以降の記事からはテキストで検索することが可能なので重宝している。

記事を検索できる端末は二台しかなく、一人三十分までと決められているが、入江和子の自殺を調べるだけなので、そう時間はかからない。もし報じられていたとしてもベタ記事だろう、と考えていたが、彼女の名前を入力すると、意外にもそれなりに大きなスペースで扱われていた。

入江和子は自宅の近くの公営住宅、いわゆる団地の屋上から飛び降りたのだそうだ。目撃者も大勢いて、和子は屋上から下で遊んでいる子供たちに、危ないからどいていなさい、と指示まで出していたようだ。つまり子供たちは和子が屋上から飛び降りて、そのまま地面に激突する一部始終を目撃していたことになる。少し大きく取り上げられていたのは、このことがあるからだろう。

二十円払ってその記事をコピーし、俺は図書館を後にした。予想通りだったから、特に落胆することはなかった。警察の向こうを張って自殺に見せかけて殺人を犯すなど、そうそうできる話ではない。しかも入江和子の場合は目撃者がいるのだ。疑いを挟む余地はない。

目撃者がいる自殺なら、死亡推定時刻はかなり細かく割り出せるだろう。俺は入江が住む吉祥寺に出向いた。彼の家の様子を見に行こうかとも考えたが、まだ入江が殺されて間もないから、警察が張っているだろう。出来るだけ近づきたくない。もちろん殺人現場なのだから、野次馬や、マスコミ関係者が大勢いるに違いない。俺も通行人の素振りをして近づいても、日野の芦屋の家に出向いた時のようにはならないだろうが、万が一ということはある。それに行ったところで得るものはない。問題なのは、彼の妻、入江和子の自殺の件だ。

吉祥寺の駅から、和子が自殺した団地までバスで向かった。団地で自殺というと、かつて自殺の名所とされた板橋区の高島平団地を想像したが、まだ出来て日が浅いのかモダンな集合住宅という佇まいで、これは完全に俺の印象だが自殺など起こりそうにない場所だった。

俺はそこらにいた住民に手当たり次第に声をかけ、ここで起きた自殺事件の話を訊いた。皆、待ってましたといわんばかりに饒舌《じょうぜつ》に俺に和子の自殺の件を語った。住人ならまだしも、何故、まったく関係ない人間が屋上に入り込んで飛び降りるのか。自殺事件など起こされたら団地全体が事故物件扱いされて、価値が下がるのに、という住人の不平不満が聞こえてくるようだった。

皆、ここで自殺をした入江和子の夫が殺されたことを知っていたのは、正直意外だった。テレビのニュース等で知ったのだろうかと思ったが、刑事が聞き込みに来たらしい。確かに殺人事件の被害者の妻が過去に自殺していたとなったら、警察は何か関連性があるのではと疑っても不思議ではない。

和子がどの棟から飛び降りたのかはすぐ分かった。和子の飛び降り自殺を目撃した人間が誰なのかも。やはり団地だけあって、近隣住民同士の繋がりはそれなりに強いようだった。

「警察の方に何度も聞かれてうんざりしているんです。それでも目撃者だから仕方がないと協力しましたよ。それなのに、あの人の旦那さんが殺されたからって、私に何の関係があるんです？」

福士という主婦は、迷惑そうに言った。さすがに団地の他の住人は、現場が同じ団地というだけである意味他人だが、目撃者となるとそうも言っていられないのだろう。入江の殺人事件を捜査している刑事は、どうやら真っ先に彼女に話を聞きに来たらしい。

「娘も一緒に見たんですよ、あの人が屋上から飛び降りる瞬間を。咄嗟に娘の顔を背けさせたけど、もし見ていたとしたらどれだけの心の傷になったか――。もちろん、それで自殺した方の遺族が補償してくれるわけでもありませんからね。いえ、お金が欲しいと言っている訳じゃないんですよ」

俺に愚痴を零すかのように、福士はよく喋った。娘にトラウマを与えただとか、金目当てだとかは一先ず置くとしても、妻の自殺を目撃したことをきっかけに、福士と入江との間に何らかの接点ができたのでは？　と警察が疑うのは分からなくもなかった。

「私だけじゃないんですよ。あの人が飛び降りた瞬間を目撃したのは、それなのに、どうして私ばっかり！」

「あの、警察の方も、決して福士さんだけに話を伺ったわけではないと思います。こういった事件では、ありとあらゆる関係者の方々に話を聞くのが常ですから」

「あら、そう？」

　俺も容疑者として疑われたことを教えて宥《なだ》めようと思ったが、主婦同士の噂話のネタを提供するだけだと思って、余計なことを言うのは止めておいた。

「あの、その自殺を目撃したのは八月二十九日の、何時か覚えてらっしゃいますか？」

「だいたいお昼の二時半頃ですよ！」

　そのことにかんしては、今まで何度も訊かれたのだろう。辟易するように福士は言った。

　それから俺は福士に、彼女以外の目撃者がいなかったか訊いた。現場に居合わせたのはほとんど子供たちだったが、福士を始めとした母親たちも何人かいた。俺は福士に教えられた彼女らにも話を訊いたが、特に目新しい情報は得られなかった。ただ一人だけ、入江和子が飛び降りたのは、午後二時三十四分だったとはっきり覚えている母親がいた。救急車を呼ぶために携帯電話を取り出した時、表示されているその時刻が目に焼き付いて今も消えないと言っていた。彼女もある意味、和子の自殺がトラウマになっているのかもしれない。

その日、中野のアパートに戻った俺は、記事の原稿を書き始めた。俺は記事を書く時、取材して分かった事実をまず書いてしまい、後で編集するという手法を取っている。今どき手書きの記事を書くライターなど皆無だから、皆多かれ少なかれそのようにして書いているのではないだろうか。だが今回ほど、一つ一つの要素が断片的なのは初めてだ。もともとオカルトという雲をつかむような題材に加え、どのような方向性の記事に仕上げるのかも定まっていない。

入江和子の自殺には、逃走中の芦屋と小坂がかかわっている可能性がある、などという挑発的な記事も書けない。あれだけの目撃者がいる。和子は間違いなく自殺だ。自殺に見せかけた殺人でないと、上手いこと俺に順番が繋がらないのだが、これればかりは仕方がない。

入江の次に俺が繋がったのは偶然なのか、あるいは本当に俺は入江和子の肉体から飛びだした知里アシによって選ばれたのか。知里アシには、やはり霊能力があったのか。それを知られたら迫害されるから、霊能力者としての活動を行っていなかっただけなのか。

迫害を受ける霊能力者、という題材が頭に浮かんだ。だが木根は喜ばないかもしれない。

アトランティスの読者はオカルトを、ある程度の胡散臭さは承知の上でユーモアとして楽しんでいるのだろう。それなのに、オカルト側が差別や弾圧を受けている、などという真剣な記事を書いてしまったら、読者が離れていってしまうかもしれない。

やはり最初っから無理だったのかもしれない。週刊標榜で書いていた俺がいきなりアトランティスというオカルト雑誌で記事を書くなど。あまりにも勝手が違い過ぎる。

俺は山梨の聡美にメールで連絡を入れた。彼女は俺のカルテにすべて目を通している。府中脳神経外科の主治医はやはり他人だから探り探り訊かなければならないし、俺以外にも沢山の患者を抱えているのだからどうしても気兼ねしてしまう。その点、元妻の聡美なら気心が知れている。

別れたのにこうして連絡を取り合っているのが、何だか不思議に思う。これが腐れ縁というやつだろうか。忙しいだろうから、早い返事は期待していなかったが、意外にもその夜、聡美から俺の携帯に連絡があった。挨拶も抜きに、いきなり彼女はこう言った。

『あなたが目覚めた日時を知ってどうするの？』

メールでそれが知りたいと書いたのだ。カルテにはその詳細が記録されている。事情を知らない主治医にこんなことを訊ねたら、きっと怪訝な顔をされるだろう。素直に本当のことを話したら、認知機能に問題が出たと見なされて、また入院させられるのは目に見えている。

何しろ霊能力者の霊魂が取り憑いたと主張しているのだから。

　俺は簡単に、入江和子が自殺した経緯を述べた。

『本当に知里アシが乗り移っているとしたら、彼女が自殺した日時と、あなたが覚醒した日時がぴったり同じになるってこと？』

「いや、何となく気になって。知っておいて悪いことはないだろ」

　本当は、俺が目覚めたタイミングで、芦屋と小坂が入江和子を殺したと推測していた。だが、かなりの目撃者があったことから、それも否定された。だから俺の目覚めた日時などどうでもいいはずだが、単なる好奇心からだった。

　もしかしたら聡美に連絡する口実を欲していたのかもしれない。

『カルテによると、あなたの覚醒が認められたのは、八月二十九日の午後二時十五分となっているわ』

「その時間って正確なものなのか？」

『場合にもよるけど、大体じゃないかしら』

　と聡美は素っ気なく言った。

『そりゃ手術の開始時刻だったら何時何分って分かるけど、昏睡状態から覚醒した時間なんて、証明しようもないでしょう。たとえば患者さんは意識は戻っているんだけど、それを周囲に伝える手段がないから、何日も気付かれなかったケースなんてざらにあるし。あなたはどうだったの？　目覚めた時、すぐに気付いてもらえた？』

「——覚えていない」

『しっかりしてよ』

そう言って聡美は笑った。

確かにカルテには俺が覚醒した時間ではなく、病院関係者が俺の覚醒に気付いた時間しか書きようがないだろう。ただ、これで分かったことがある。

「知里アシの霊能力は、やっぱり嘘だったんだ。俺は入江和子が自殺する約二十分前に目覚めている。もし知里アシの霊魂が俺の身体に入り込んだせいで俺が目覚めたのなら、それは入江和子が自殺した後でないとおかしいからな」

『何？　まだ霊能力を信じてたの？』

「信じちゃいないけど、可能性は徹底的に潰した方がいいから」

そう俺は強がったが、内心は暗澹《あんたん》としていた。どう考えても知里アシの霊能力は眉唾物としか思えない。もちろんそれでいいのだが、俺は霊能力を肯定する方向でアトランティスに記事を書かなければならないのだ。

『でも、あなたが目覚めた後で、あなたの中に知里アシが入り込んだら問題があるの？』

「だって、知里アシが入り込んだから目覚めたって話なんだ。理屈に合わないじゃないか」

『じゃあ訊くけど、府中脳神経外科には、きっとあなた以外にも昏睡状態の患者さんがいたでしょう。それなのにどうして知里アシはあなたを選んで目覚めさせたの？』

「それは——」

そんなこと、考えたこともなかった。

『内科にはちゃんと通っているの？』

唐突に、聡美は訊いた。

「あ、ああ——近くの総合病院に月一で通ってる。府中の病院の先生に紹介状を書いてもらったから。将来腎臓病になるかもと言われたよ」

『そう——大変ね』

脳のことばかり取り沙汰されるが、俺はほぼ全身にダメージを負った。数分でも心臓が止まり、血液の流れが阻害され、全身に酸素が回らなくなるのは、そういうことを意味しているのだ。

『あなたは蘇生後脳症になった。にもかかわらず、こうして特に支障がなく会話ができる——これは凄いことよ』

「それはどうも」

冗談めかしてそう言ったが、聡美は笑わなかった。

『知里アシが取り憑いたから覚醒したんじゃないわ。府中脳神経外科病院で覚醒していった患者さんに知里アシが順々に取り憑いていったとは思わない？』

俺は暫し黙った。

「俺がこうして脳にダメージを受けているのに、普通に喋ったり、ものを考えたりできるのは、すべて知里アシのおかげだと？」

『そうよ。入江和子は自分の身体から知里アシが出ていってしまい、認知症のような状態になってしまったんじゃないかしら。それで団地に迷い込み、屋上に上がって飛び降りた』

「認知症なら自殺してもおかしくはないと？」

『認知症の老人が踏み切りに迷い込んで事故にあってしまうケースは珍しくないでしょう？別に迷い込まなくても、知里アシが身体から出ていってしまったという自覚があって、絶望して自殺したとも考えられる』

俺が目覚めてから、入江和子が自殺するまではせいぜい十五分から二十分ほどだろう。たったそれだけの短い間に、彼女にそんな心境の変化が起こったというのだろうか——？

聡美は言った。

『そもそも知里アシの霊能力が何なのか知らないし、興味もないわ。ただし、あえて一つだけ言わせてもらえば、あなたがこうやって日常生活が送れるまでに回復したのが奇跡だわ。私にはあなたが回復したことそのものが、不思議な力によるものとしか思えない』

「そして、次に府中脳神経外科で誰かが目覚めると、そいつに力が乗り移って、俺は用済みになると？」

そうよ、と笑いながら聡美が言うと思った。彼女はそういうことを平気で言える女だ。

だが違った。

『分からないわ。私はオカルトなんて信じないもの。ただ起こっている事象にオカルト的な解釈を付け加えることができるとしたら、そういう考えもできるというだけ。もしそうだとしたら、私は次にもう誰も目覚めないように祈るわ』

「――俺が自殺したら、君にも危害が加えられるかもしれないな」

『どうして？』

「知里精治と入江太一は殺された。芦屋三郎と小坂恵美は今現在、行方不明だ。芦屋と小坂が二人の殺人に何らかの形でかかわっている可能性は高いと思う。でも同時に、二人も殺されている可能性もなくはないんだ。もしそうだとしたら、あの病院で目覚めた患者は自殺をし、その家族は殺されるという事態になってくる」

『私はあなたの家族なの？』

と聡美が言った。

「そう言うと思ったよ。もし犯人が——そんな人物が存在するとしてだけど、俺の家族を狙うとしたら、君を選ぶんじゃないか？」

『光栄ね。せいぜい狙われないように気をつけるわ』

そう言って聡美は笑った。

「あ、それとカルテで思い出したんだけど」

『何？』

「芦屋秋宗と小坂直人、それに入江和子のカルテ開示は難しそうだ。以前、芦屋三郎、小坂恵美、入江太一の三人と新横浜で会ったんだけど、たとえ家族であっても本人でないとカルテは見せられないと府中脳神経外科病院側が渋ったらしい。それでもしつこく申請すれば審査が通る可能性もなくはなかったが、今はもうそんな状態じゃない。芦屋と小坂は失踪し、入江は殺された」

『そう。それは残念ね』

聡美は素っ気なく言った。

「カルテはなくていいのか？」

『三人の症状に共通点でもあれば、あなたの仕事に役に立つと思ったけど、もうカルテどころじゃないようだから』

「そうか――」

ざっくばらんで、素っ気ない聡美が俺の仕事のことを考えてくれていたことに、少しだけ胸が熱くなった。俺のことを気にかけていなければ、そもそも多忙な（たとえ山梨の病院であっても！）医師の仕事の合間を縫って、俺にわざわざ電話をかけては来ないだろう。

聡美との通話を終えた後、俺は暫く、聡美と再婚する光景を夢想した。母は死んでしまったが、まだ父は存命している。父に孫の顔を見せてやりたい。きっと兄夫婦も喜ぶだろう。甥の峻も年下のいとこができればきっと喜ぶはずだ。

俺の脳裏に、博多の兄夫婦の家で聡美と子供と過ごす温かい光景が浮かんだ。だがその光景を覆い隠すように忍び寄ってくる黒い影。俺はオカルトなど信じない。知里アシの霊魂が乗り移るなどデタラメだ――そうは思っているものの、聡美が口にしたあの推測が脳裏にこびりついて離れなかった。次に府中脳神経外科に入院している患者が目覚めたら、俺のこの理性は消えてなくなってしまうのだろうか。記事を書くことも、物事を考えることもできなくなってしまうのだろうか。そしてまるで灯に吸い寄せられる虫のように、団地の屋上に、線路に、輪になったロープに、近づいてしまうのだろうか。医師という科学者であるはずの聡美さえも、知里アシの霊能力を信じずにはいられない。やはり彼女は霊能力者なのだろうか。今、俺の中に取り憑いているのだろうか。そして俺を俺と思うこの自我も、実は知里アシが生みだしているのだろうか。

もしそうだとしたら、俺こそが知里アシだ。

5

それから二ヶ月後、俺の記事は無事アトランティスに掲載された。

芦屋三郎と小坂恵美は、未だに姿を現さなかった。そもそもアトランティスに記事を掲載する目的は、俺の記事を読んで二人が何かアクションを起こさないかと期待してのものだった。だがしかし、俺は二人がアトランティスを読む読まないにかかわらず、あの二人はもう見つからないのではないかと漠然と考えていた。

杏菜はアトランティスに掲載するために、霊能力者によって今回の事件を解決させる体裁を取る、というアイデアを出してくれた。だが、もう意味がないと思ったので断ってしまった。何故なら、最初っから俺自身が特別な人間であることを、聡美が教えてくれたからだ。即ち、蘇生後脳症から復帰した俺がこんな記事を書いていることこそ、知里アシという霊能力者が起こした奇跡なのだと。

現実問題、知里アシに霊能力があるか否か、それを確認することはできない。芦屋の妻の静子の話によると、普通の女性だったように思える。恐らくそうだったのだろう。だがそんなことはどうでもいいのだ。立証しようとする人間などいないし、そもそも誰も立証できないのだから。

俺自身、自分がこうして仕事に復帰できた事を奇跡のように感じていた。従って、何の根拠もない噂話を吹聴する罪悪感も乏しく、すらすらと記事を書くことができた。

事件を解決する必要もなくなった。解決しなくても、素直に起こったことをそのまま書けば、十分不思議でオカルト的な話になるからだ。俺の記事は個人の心霊体験談として面白がられ、またそれを書いているのが普段は一般誌で仕事をしているライターということで、内容にもハクがついた。

冒頭で『筆者はオカルトの類いを一切信じていない』と宣言したのが、また良かったのかもしれない。オカルトを信じていない現実的な世界で生きてきたライターさえもが音を上げてしまう不可思議な事件――。結果として俺の記事は現実的であり、なおかつアトランティスのカラーにも則しているオカルトとリアリズムの折衷的な記事として評判を呼んだ。

アトランティスの記事を読んだ週刊標榜の中田は、あんなに面白い事件だったら、どうしてうちで書いてくれなかったのか、と俺に文句を言った。以前相談した時は週刊標榜で書くのは難しいと言ったじゃないか、と思ったが今更憤ったりはしなかった。こんなことで怒っていたらフリーランスの仕事は務まらない。

霊魂が乗り移ったライター自身が書いた記事、というのが良かったのだろう。蘇生後脳症についても誌面を割き、いかに社会復帰が難しいのかを専門的に説明したのも効果的だったのかもしれない。だが、芦屋静子の居場所を知る際に世話になったライターの豊福が俺に連絡してきた時はさすがに驚いた。なんと俺を取材して週刊クレールで記事を書きたいと言う。

アトランティスなどというオカルト雑誌に記事を書いたところで、中田はともかく一般誌の業界からの反応は薄いだろうと思っていたのだ。だが意外とアトランティスは業界内の読者が多いと言う。確かにオカルト雑誌といえども四十年以上の歴史をほこり、知名度は抜群だ。アトランティスだからといって筆致を変えるようなことはせず、週刊標榜で書くようないつものトーンで書いたので、それが俺の記事が目立った要因かもしれない。

週刊クレールは芦屋秋宗の記事を二回も掲載していた。闘病記のような記事は、週刊クレールの読者にとって受けがいいのだろう。

『ほかに、どこが連絡してきましたか？』

と豊福は言った。質問の意味が分からず、え？　と訊き返してしまった。どうやら他誌から同じような打診を受けなかったか、と訊いているのだと分かった。

「豊福さんが初めてですよ」

そう言うと、彼女は心底驚いたようだった。

『でも、いずれ声がかかりますよ。アトランティスの次は標榜さんで記事を書かれるんでしょう？　編集長の澤村は、本当は桑原さんご自身に記事を書いてもらいたかったようです。でも順番から言ってやはり標榜さんに書かれるだろうと、取りあえず桑原さんに取材という形を取らせてもらいたいんです。もちろん、その方が私の仕事になって助かりますが』

そう言って豊福は笑った。ライバル誌といえども、編集長同士の繋がりはある。少なくともアトランティスの木根よりも親交は深いだろう。俺が普段週刊標榜をメインに活動しているライターだから、気をつかったのだ。

週刊クレールに俺の記事が出ると、今度は中田が週刊標榜に連載をもたないかと言ってきた。澤村の言う通りになったが、まさか連載とは思わずに俺は、

「連載ですか？」

と訊き返してしまった。

『評判が良ければ、単行本にまとめようと思うんだ。銀ちゃん、本を出すのが夢だって前から言っていたじゃないか』

確かに、俺だけじゃなくライターは皆、自分の著書を出すのが夢だと思う。だが本を出せ

るライターなど一握りの一流ジャーナリストだけで、俺の記事など読者に消費されて、後は国会図書館で日本が終わるまで死蔵されるだけの価値しかないものだと諦めていた。それがこんなところでチャンスが舞い込んでくるなんて、誰が予想しただろう。

以前は仕事をもらう側だった様々な媒体から取材のオファーが来た。もちろん記事を書いてくれという依頼も来たが、それは週刊標榜の仕事と重なるので丁寧に断った。俺はやっと運が向いてきたな、と思って終始ごきげんだった。これで知名度が上がり、本が無事に出版されベストセラーにでもなれば、いいマンションに引っ越せるかな、などと夢想した。正に取らぬ狸の皮算用だ。だがそれくらいいなんだ。俺は友人だと思っていた男に刺されて意識不明になったのだ。その代償が今になって漸く振り込まれたのだ。夢を見る権利ぐらいある——などという程度の軽い気持ちだった、最初は。

だがテレビ局から再現ドキュメンタリーとして取り上げたい、という依頼が来た時はさすがに恐ろしくなった。テレビはニュース以外ほとんど観ない俺ですら名前ぐらいは知っているゴールデンタイムの番組だった。週刊標榜に記事を書いても芦屋や小坂は読まないだろうから、アトランティスで書いた方がいいかもしれない、などと悩んでいた過去が懐かしかった。どこの雑誌に書こうが、それでもゴールデンタイムのテレビ番組のアピール力には及ばない。もし芦屋や小坂が名乗り出なかったとしても、二人を探すための有力な手がかりが視聴者から続々寄せられるだろう。たとえ仮名で報じたとしてもだ。

「あれはあくまでもアトランティスという雑誌向けに書いたオカルトの記事に過ぎません。それがこんなにも皆さんに注目されるとは思ってもみなかった」

そう俺は、ドラマ化を打診したテレビ局のプロデューサーに言った。

「いい仕事をした人は、往々にして、いや自分はいつも通りに仕事をしただけだと言うものですよ。謙虚ということもあるでしょうが、いつもいい仕事をしている人は、それが当たり前だから、自分では気付かないものなんです。その仕事の確かさを漸く世間の人が気付いた。それでいいじゃないですか」

「はあ、そういうものですか」

プロデューサーは腰の低い丁寧な男だったが、それでも最初っから俺のことを銀次郎と下の名前で呼んだことに、ある種の軽薄さを感じさせた。

「誰でもそうです。皆、オカルトに興味があるんですよ。超常現象を取り上げた番組の視聴率がいいのがその証拠です。でも大抵は皆、格好つけてオカルトなんか信じないだとか、観たとしても胡散臭いのは分かっていて観ているんだ、なんてエクスキューズをつけて、それが大人の態度だと思っている。でも銀次郎さんの記事は押しつけがましくなく、事実を淡々と記述しているから、もしかしたら霊能力って本当にあるかも、と読後に思ってしまう。それが一般の読者にも受けたんだと思います。どんなジャンルにもマニアはいます。マニア以外の人間に興味を抱かせることに成功したら、それはもうブレイクしたってことなんです。今の銀次郎さんが正にそれです」

「そうでしょうか」

「そうですよ！　だって霊能力者と言っても、いわゆる、予知能力だとか透視だとか行方不明の人間を捜すだとか、そういうありきたりなものでないのがリアルでいいじゃないですか。それに殺人事件も起こっている。殺人は普通に人間が起こすことですからね。少なくともそこに関しては不思議はない。大体オカルトで人が死んでも、霊が取り憑いて殺したとか、そういう話になってくると思いますが、そうではなく霊能力者の信奉者が殺したんじゃないかって流れになっている。これもリアルで非常に良いです」

実際に起こったことを書いているだけなのだから、リアルで良いなどと言われても困ってしまう。

「しかも、最終的に銀次郎さんがその記事を書いていることそれ自体が霊能力の証明という結論になるなんて！　皆が面白がるのは当然でしょう。大抵のオカルトは百パーセント非現実的です。でも銀次郎さんの記事は違う。あくまでも九十パーセント現実的で、残りの十パーセントに不思議な要素がある。だから大人でも読めるリアルな記事になっているんです」

そう言われてもまるで実感がわかなかった。ただ、俺が遭遇したあの事件で金が稼げるから、俺のことを大げさに褒め称えているということだけは、何となく分かった。

テレビ番組で自分の特集を組まれるなど、まったくの初体験だったので、週刊標榜の中田や、アトランティスの木根や杏菜に相談した。皆口を揃えて、絶対に断るな、と言った。テレビで取り上げられて知名度が上がれば、特集記事を掲載している週刊標榜の売り上げが伸びる。ドキュメンタリー番組を作るのには時間がかかるから、それまでの間に週刊標榜で連載を済ませ、番組の放送と同時に単行本を発売するという具体的なプランまで出た。もちろんすべて金のためだった。

アトランティスには一度記事を掲載しただけだから、俺のテレビ番組が作られようが、直接の利益はないはずだった。しかし、それで俺が有名になれば、最初に桑原銀次郎を見出した雑誌として、アトランティスの知名度は更に上がる。木根にはドキュメンタリーでは、アトランティスのことにも触れていただけるとありがたいです、と頭を下げられた。だがドラマの一切を決めるのはプロデューサーなのだから、そんなことを俺に言われても、というのが正直な気持ちだった。

杏菜は人一倍喜び、これで桑原銀次郎の時代が到来ですね！　などと訳の分からないことを言った。

俺は嬉しさなど一つもなかった。むしろ恐ろしかった。芦屋三郎と小坂恵美は依然行方不明だ。俺は死体が見つかっていないのだから生きている可能性が高いのではないかと思ったが、今はどうか死んでいて欲しいという気持ちの方が強かった。

テレビに映る俺を見て、二人は何を思うだろう。逃亡者の自分たちを差し置いて、こうしてスポットライトに当たっている俺を苦々しく思うのではないか。その気持ちが殺意に変わったとしても何も不思議ではない。

俺が自殺しなければ次に続かない。したがって俺が殺される筈はない。その理屈は分かっている。でも恐怖は理屈では決して打ち消すことはできなかった。

そんな折り、五島と桐谷が再び俺の元にやって来た。俺は初めて会った時と同じように、再び彼らとカフェで対面した。

「やってくれましたね」

と五島は言った。

「この件に関しては勘弁してくださいって言ったと思いますが」

「勘弁してください、とは？」

「事件を記事に書くことです。噂によると、あなたテレビにも出るそうですね」

「ドキュメンタリーのドラマです。私の役は俳優さんが演じてくれるんでしょう」

「そういうことを言ってるんじゃないんだよ！」

いらついたのか、桐谷が声を荒らげた。カフェの客がちらりとこちらを見やった。それだけだったが、もしテレビに出ることになったら、こういう時にひそひそと噂されることになるのだろうか、と考えた。あの手のドキュメンタリーでは再現ドラマの後に、本人としてインタビューに応じるのは普通だ。

「テレビなんかで取り上げられたら、芦屋と小坂が何をしでかすか分からない」

「いいじゃないですか。市民から情報が集まりますよ。二ヶ月も見つかっていないんだ。そろそろ新しい手を打たないと」

五島も桐谷も痛いところをつかれたのか、苦々しい顔をした。ここまで捜査に進展がないと、そろそろ捜査本部の解散も視野に入ってくる時期ではないのか。

「まだ私も容疑者圏内にいるんですか？」

「もちろん」

「じゃあ、テレビに出て有名人になるのは悪いことじゃないでしょう。顔が知られるようになれば、迂闊に逃亡もできなくなりますから」

「何を――」

「止めろ」

五島は俺に文句をつけようとする桐谷を軽く制した。桐谷は苦虫をかみつぶしたような顔をし、五島は場の空気を変えるかのように、ごほん、と咳払いをした。

「確かにあなたが事件を勝手に記事にしたのは、あまり嬉しくない事態です。それはそれとして、あなたの目から事件を描いたレポートとして、大変興味深く読ませてもらいました」

「それはどうも」

「あなたが私たちとこうして会話ができるのも、知里アシという霊能力者の賜物だと？」

口調は丁寧だが、明らかに馬鹿にされていると思った。リアリズムの世界に生きる刑事にとって、それが当然の反応だろう。

「それは私には分かりません。ただ、そう考えると蘇生後脳症から復帰した理由になるというだけです。事実神頼みしたいほど、私の症状は酷かった」

なるほど、なるほど、とわざとらしく五島は頷いた。

「じゃあ、いつかあなたも自殺するかもしれないわけだ。そして府中脳神経外科で次に目覚めた患者に順番が引き継がれる」

「そんな先のことは――分かりません」

「でも、あそこまで扇情的な記事を書いておいて、あなたがのうのうといつまでもいつまでも生き延びていたら、さすがに読者は怒るでしょう」

と桐谷が言った。

「そんなことは言うもんじゃない」

と五島。すいません、とまったく悪びれた様子もなく桐谷が謝る。その間が絶妙過ぎて、コントか何かを見ているかのようだった。

俺はおもむろに言った。

「現時点で、私が一番の容疑者なんですか？」

「おや、どうしてそんなことを？」

「私も芦屋や小坂とグルだ——ぐらいのことは考えていらっしゃるんじゃないですか？　私をマークしていれば、いずれ二人も姿を現すと」

以前会った時、五島は俺が入江を殺した可能性も視野に入れていたのだ。仮に実行犯でなくても共犯関係にあったとしたら、ぐらいのことは推測しているのだろう。

「それは殺人事件の被害者と交友があった方ですから、ある程度は調べさせてもらうのも仕方がないかと——ところで知里アシという方は、本当に霊能力者だったんですか？」

唐突に五島が言った。

「それは記事に書きました。分からないと。ただ霊能力があろうとなかろうと、彼女を霊能力者に祭り上げたい人間がいるのは事実だと思います」

「でも、あなたがこうして普通に生活できているのは、知里アシが取り憑いているせいなんでしょう？」

嫌みったらしく桐谷が言った。真面目に答えるのも馬鹿らしくて、俺は黙っていた。

「でも、とにかく、その人間——芦屋と小坂のことかな？　彼らの目的は達成された訳だ。あなたの記事は話題になった。あなたがテレビで取り上げられれば、知里アシの名前は世間に今よりもずっと広がる。それは奇しくも芦屋と小坂の当初の目的通りになったわけだ」

「だから私が二人とグルだと？」

「いや、何。結果論の話ですよ。お気になさらず——ところで桑原さんは、本気で自分が回復したのは知里アシが取り憑いたおかげだと信じているんですか？　確かに記事はそのような結論に落ちつきましたけど、あれは読み物として面白く書いているだけでしょう？」

「その通りです。私は事実をそのまま書いただけですから。知里アシが取り憑いたと考えれば、私が奇跡的に回復した理由にも説明がつく。だが世の中に絶望的な状態から回復した病人なんてごまんといます。彼らに一人一人説明がつけられると思いますか？」

「桑原さん。我々は霊能力なんて代物を信じるわけにはいかないのでね。たまたま桑原さんが目覚めたから、それに便乗して芦屋と小坂が入江を取り込んであなたに接触させた——そう考えて間違いないと？」

と五島は言った。彼は当たり前のことを言っただけなのだが、それが妙に心に残った。

「芦屋と小坂の言い分は分からないけど、好きに考えてください。解釈は自由です。ただ入江さんも妻が自殺したからこそ、あの二人を信じるようになった。入江和子は私が目覚めた二十分ほど後に自殺している。目撃者も大勢いる。本当に知里アシの霊魂が自殺させたのでなければ、偶然でしょう。大した確率じゃあない」

「知里アシの名前がこうして世の中に広まったのも、芦屋と小坂の意図した結果ではないと？」

「意図して入江和子を自殺に追いやることはできません。目撃者は大勢いるんですから」

桐谷は苦々しい顔をした。既に入江和子の自殺の件にかんしては調べがついているのだろう。芦屋と小坂が、俺と知里アシを意図的に繋げようとしていたのなら、入江和子は彼らに自殺に見せかけて殺されたということになる。しかし現状、そんな事実はないのだ。

「それはそうと桑原さん、府中脳神経外科病院の方は取材をしましたか？」

唐突に五島が言った。

「電話で念のため芦屋秋宗、小坂直人、入江和子の入院記録を問い合わせましたが、やはり部外者には患者の情報は教えられないという返事でした。だからそちらの取材はしていないに等しいですね」

だが知里アシは入院していなかった、ということが分かっただけでも収穫だった。

「患者のプライバシーはちゃんと守るというわけですな。感心なことです。でもおかしいですね？　記事によると、府中脳神経外科に彼らの協力者がいたという話ですが」

「ええ。多分、金をつかませたんでしょう。でも私はそういう裏から手を回すやり方は好みません。もっともそんな金もないですけど」

そう言って俺は笑った。

「この一件で有名になって、それくらいの金は稼げるだろう」

と桐谷は真顔で言った。

「桑原さんは、その協力者をご存じない？」

「ええ。入江さんは死んでしまって、残りの二人も行方知れずですから。もっとも生前の入江さんに協力者のことを訊ねたことがあるのですが、教えてもらえませんでした。今から考えると、その時点で怪しむべきでしたね。知里アシが繋いだ仲間のようなことを言っておきながら、私だけに隠し事をしているということですから」

もしかしたら芦屋と小坂は対等ではなく主従関係である可能性もある。もしそうだとしたら四人は全員が全員同じ情報を得ているのではなく、まるで階層のように上位の者が下位の者に情報を与えているということになりはしないか。

俺が一番下にいるのは間違いない。では一番上の者は誰だ？

「ねえ、桑原さん」

意味あり気に五島が言った。

「なんですか」

「本当はそんな情報提供者なんていないんじゃないですか？」

「え？」

五島の言っていることの意味がよく分からなかった。

「私らも動いていないわけじゃない。あなたの記事を読んですぐに、府中脳神経外科に行きました。買収されて患者の個人情報を流している不届き者に話を訊きたいと。だがそんな人間はいなかった。あの病院のスタッフはみな清廉潔白です。あなたの個人情報を入江に流した人間など存在しないんです」

俺は暫くその五島の話を噛みしめるように脳裏で反芻《はんすう》した後、おもむろに言った。

「あなた方が見つけ出せなかっただけじゃないんですか？」

「警察を舐めないでもらいたいな。それくらいのことはどうにだって調べられるんだよ」

また桐谷が偉そうに言った。五島は今度は、その桐谷の発言を咎めることはしなかった。

「入江さんが府中脳神経外科のスタッフを金で買収して、私のことを知ったと自分で言ったんです。私はそれを記事に書いたまでです」

「裏取りもせずに？」

「断定はしていません。あくまでも入江さんがそう言ったという形式で書いているので」

桐谷は笑った。

「なるほど、いくらでも言い逃れの理屈はあるんだな」

「どうして私が言い逃れをすると？　確かに府中脳神経外科のスタッフを買収したというのは入江さんの嘘だったかもしれない。だったら何か他の手段で知ったんでしょう。それだけのことです。そもそも入江さんが私のところに来たから、今回の事件にかかわることになったんです。それを否定されたらすべてを否定されたのと同じだ」

何だか少し腹立たしくなってきた。入江がどこで俺を知ったのかが、そんなに重要なことなのだろうか。

「あなた、最初っから入江とグルだったんじゃないですか？」

「え？」

「入江だけじゃない、芦屋や小坂ともだ。あなたも知里アシの信者だった。あなたは本気で、彼女のおかげで昏睡状態から目覚めたと信じているんじゃないですか？　それで残りの人生をかけて、彼女の宣伝に努めることに決めた。違いますか？」

俺は思わず笑った。

「私が最初っから彼女とグルだったと？　知里精治と入江さんの殺害にもかかわっていると？　なるほど、私が精治を殺したのなら、芦屋と小坂にアリバイがあろうとなかろうと関係ない訳だ。でも刑事さん、精治が殺された時、私は府中脳神経外科で昏睡状態にあった。これ以上ないアリバイですよ」

「そんなことは分かってる。何も先回りしてそんなにベラベラと喋る必要はない。いろいろ喋るのは、ひょっとしてやましいことがあるからじゃないか？」

「馬鹿な——」

桐谷の言葉に、俺は失笑で返した。だが、彼らの視線で、冗談でも何でもなく、俺を本気で疑っているのは分かった。

彼らとしては藁をもつかむ気持ちなのだろう。芦屋と小坂は未だに行方不明だ。もし俺が彼らとグルだったとしたら、どこかで接触するに違いないと考えているのではないか。この二ヶ月マークされていたとしても不思議ではない。そうこうしているうちに、俺がアトランティスで記事を書くという目立った動きを起こしたので、こうして直接会いに来たのだ。

「とにかく府中脳神経外科に内通者が存在しないのは事実だ。だとしたら、あなたが直接入江太一と接触したとしか思えない」

「どうしてそうなるんですか？　そうだ、私が退院した時、いろんな宗教団体から勧誘が来ましたよ。彼らはどこで私のことを知ったんです？　大方、入江太一もそういう流れで私のことを知ったんでしょう」

「なら、どうして内通者がいるなんて嘘を言ったんですか？　あなたにとって入江太一は復帰したあなたの元に群がってくる有象無象とは違った。だから思わせぶりに内通者の存在を出したんだ。その方が記事が面白くなるから」

もう、馬鹿な——などと言う余裕もなかった。俺はこの店で入江と会った。その時が初対面だったのだ。どこで俺のことを知ったか知らないが、確かに入江は内通者の存在を匂わした。だから俺は記事に書いた。それだけだ。もしそれが嘘だとしたら、入江に騙されて忸怩たる思いはあるが責められる謂れはあるのだろうか。俺だって騙されていたのだ。

「あなたはどうして沢山の有象無象の中から、入江太一だけに会おうと思われたんですか？」

「それは、病院で紹介されたなどと言ったから——そう、きっと病院の名前を出さないと俺が彼と会おうとしないことは分かっていたんでしょう。だから内通者がいただなんて見え透いた嘘をついたんだ」

「病院の人間に教えられたなんて言ったら、警戒して余計に会わないんじゃないですか？」

どうして俺は入江太一に会おうと思ったのだろう——いろいろ考えたが、二人が納得できるほどの客観的な答えを見出すことはできそうになかった。ライターの嗅覚が働いた、などと言ったら笑われるだけだ。

入江太一はなぜ、内通者の名前を言わなかったのだろう。それが入江は嘘などついていないという証明のように思えてならなかった。嘘なら、もっといくらでもそれらしい説明ができそうなのに。

ただ、府中脳神経外科に内通者がいないという刑事たちの話も本当だろう。彼らが俺に嘘をつく理由はない。だとしたら、いったい——。

ある疑いが脳裏に浮かんだ。それは急に何かを思いついたような閃《ひらめ》きとは違った。ゆっくりと、まるで深層心理の奥から立ち上がってきたようなアイデアだった。意外な事実に辿り着いたという感慨は薄かった。何故なら俺はその考えをずっと心に秘めていたからだ。でも、それを表に出したら、この心地の良い世界がすべて壊れてしまいそうな気がして——。

だが、直視しなければならない。府中脳神経外科に内通者はいなかった。それは事実だろう。そして入江は俺に嘘をついていなかった。これも事実だろう。だとしたら答えはもう一つしかないではないか。

「桑原さん？」

急に黙り込んだ俺を不審に思ったのか、五島が訊いた。

彼らの協力を仰ごうかと思ったが、すんでのところで思い止まった。精治と入江は殺された。それは確かに犯罪だろう。だが、俺が今までずっと心に秘めていた疑惑は、多分、刑事事件としての立件は不可能なのだ。

「私はあの記事でなんら嘘をついていません。ここで入江さんと会って、内通者から私のことを知った、と聞かされました。それが事実です。決して霊能力があると断定した記事ではありません。入江さんとのことも、それと同じです」

二人の刑事は、少し白い目で俺を見つめ、言った。

「失礼ですが、府中脳神経外科へは通っているんですか？」

「いえ、今は。自宅近くの内科を紹介してもらって、そこで診察を受けています」

五島と桐谷は顔を見合わせた。

「何か？」

「失礼を承知で伺いますが、脳にダメージを受けられたんですよね。ご家族の方はいらっしゃらないんですか？」

質問の意図を測りかねて黙っていると、桐谷が言った。

「あなたの家族にも話を訊かなきゃいけない。あなたに正常な判断能力があるのかどうか。

確かにあなたにはあれだけの記事を書く能力はあるようだけど、その内容が正しいという保証はどこにもないでしょう」

俺は五島と桐谷の内心を推し量るように、彼らを見つめた。彼らも俺を見つめていた。府中脳神経外科で感じた視線だと思った。百から七を引けだとか、野菜の名前を十個言えだとか、その手の質問をする際の医師の視線と同じものだった。

「私は独身です。家族はいません」

「じゃあ、普段からあまり会話はされていないと？　いや、会話をしないと認知症は症状が重くなるっていいますからね」

俺はゆっくりと立ち上がった。

「あの、お話はもうそれですべてですか？　それならば帰らせていただきたいのですが」

五島は首の後ろをポリポリと掻いて、

「仕方ありませんね。分かっていると思いますが、旅行は控えてください」

と言った。日本のどこかに潜伏している、芦屋と小坂に会いに行くとでも思っているのだろうか。

「その約束はできませんね。青森の恐山に取材に行かないかって話が出てますから」

と俺は嘯いた。

「ついでに、イタコに芦屋と小坂の居所を訊いてきますよ」

そう捨て台詞を吐いて、俺はカフェを出た。二人の刑事は呼び止めなかった。アパートに戻ると、俺は彼女に電話をした。いつもは多忙な彼女を慮って最初にメールで連絡をするのだが、それはためらわれた。衝動的に電話をしてしまったこともあるが、とにかくいつもと違う要件であることを彼女に知らしめたかったのだ。

当然のごとく、彼女は出なかった。俺は留守番電話にメッセージを吹き込む事もなく、電話を切った。向こうには履歴が残っているから、必ず折り返しかけてくるだろう。いつもと様子が違うし、彼女にとって俺は特別な存在であるはずだから。

それから何もせず、ベッドに寝転がり天井を見つめていた。府中脳神経外科に入院していた時も、こうして毎日見ていた。

電話がかかってきた。慌てて取った。でも、彼女からではなかった。

『美味しいイタリアンの店を見つけたんですけど、今度打ち合わせをかねて行きませんか？』

杏菜からだった。

「木根さんも一緒ですか？」

『あ、私だけのつもりなんですけど、もしお嫌なら木根も同席させますが』

慌てた様子で杏菜は言った。前の事件で出会った、聖蹟桜ヶ丘のゲームセンターで遊んでいる彼女の姿が脳裏を過った。義姉の顔や、母を殺した男の姉の顔が、次々と浮かんでは消えてゆく。杏菜もこうして俺の人生を通りすぎてゆく女性の一人になるのだろうかとぼんやりと考えた。

でも、どんな女性であっても、あの女には決して敵わない。

『銀次郎さん？』

「ドキュメンタリーの件ですが」

少し唐突に、俺は言った。

『は、はい』

「もしかしたら断ることになるかもしれません」

『え！　どうしてですか！』

「何て言うか、あいつがそれを狙っているとしたら、正に思う壺だからです」

杏菜は俺の言っていることがよく理解できないようだった。イタリアンで食事をするのは構わないとだけ言って、通話を終えた。俺の予想外の反応に呆然としている杏菜の姿が目に浮かぶようだった。

確かに俺は府中脳神経外科で目覚めた。こうして心臓が鼓動し、息をしている。壊れ損なった脳でこうしてものを考えている。しかし、やはり俺はあの時、秋葉原で刺されて死んだのだ。目覚めてからの俺は幽霊と同じだった。生きていても、屍《しかばね》と同じだったのだ。

何故なら、入江と会って、知里アシの事件に首を突っ込んだことには、何の意味もなかったのだから。

彼女から電話がかかってきたのは、その日の深夜のことだった。

『記事を読んだわよ。私の意見を採用したようね。蘇生後脳症だったあなたがこうして日常生活を送っていることこそが奇跡だっていう――』

その聡美の言葉を遮るようにして、俺は唐突に言った。

「俺のことを入江太一に教えたのは君か？」

暫く聡美は黙り込んだ。俺は彼女が口を開くまで辛抱強く待った。

『何、それ』

「入江太一は俺に会いに来た時、協力者に教えてもらったと言っていた。でも府中脳神経外科には入江の協力者なんていなかったんだ」

『どうしてそう言い切れるの？』

「警察が調べたんだ。何の肩書きもないフリーライターが調べるのとは訳が違う。でも入江がどこかで俺のことを知ったのは間違いない。彼はその誰かとの約束を守って俺に内通者の名前を教えなかった。つまり内通者は、俺にその存在を隠しておきたい人間だってことだ」

『あなたが仕事をしている雑誌の人が教えたんじゃないの？』

「それはありえない。入江は府中脳神経外科の人間に教えてもらったと言っていたんだ。だが入江はその医者が本当はどこに所属しているのか気にもしなかったんだろう。俺のことをよく知っている人間で、府中脳神経外科の医師ではない人間は、君しかいない」

聡美はまたもや暫し黙って、それから、

『その話の続きは？』

と言った。

「最初から話すか？　そもそもは芦屋三郎の息子、秋宗が自殺をし静子が実家の北海道に帰ったことから始まった。一人で生活していた芦屋は、秋宗の事件を知って現れた、静子の元恋人の精治と出会った。そこで精治にやはり自殺をした妹、知里アシがいることを知った。なにしろ妻の高校時代の恋人だ。面白くないというよりも、興味をもって彼と接したんじゃないだろうか。しかも親族を自殺で失うという共通点がある」

『自殺、ね』

と聡美はつぶやいた。以前の取材で、俺と一緒に自殺死体を発見したことを思い出しているのだろうか。

『銀次郎さん』

俺は一瞬だけ言葉を失った。ひるむんじゃない、と自分を鼓舞する。この女は元夫をそう呼べば、俺が動揺すると知っているのだ。

『私があなたに、あの三人のカルテを観たいと言ったことを覚えている？』

「ああ――」

芦屋秋宗、小坂直人、入江和子。だが結局彼らのカルテ開示は成されなかった。聡美も特に重要視はしていなかったようなので、それっきりになっている。

『本当に覚えているの？　本当は忘れているのに、知ったかぶっているだけじゃないの？』

「なんだよ、それは」

聡美は小さく笑った。

『あなたがあまりにも普通だから、疑っただけよ。でもあなたも自覚していないだけで、脳に障害を負っていることは確かよ。少なくとも以前のような生活はできていないはず。たとえ些細なことでもね』

――咄嗟の判断がなかなか出来ない。

――今ではいちいち考えないと歩けない。

――思わず立ち止まってしまい、背後の通行人に何度舌打ちされたことか。

『蘇生後脳症から復帰したあなたが、未だにあんな記事を書けることは称賛に値するわ。だから脳に障害があったとしても、それは比較的軽いものなんでしょう。でも、中には高次脳機能障害に苦しむ患者さんも少なくないわ。ものを覚えられない。意識を集中できない。急に感情的になったり、その逆で感情をなくしたりする。酷い人になると、普通に生活してゆくことすら難しい。苦しんで自ら命を絶つ患者さんも、決して珍しくはないわ』

はっ、とした。

「じゃあ、芦屋秋宗や小坂直人も――」

『だから私は彼らのカルテを観たかったのよ。高次脳機能障害の程度を知りたくて。もちろん、観たからといって彼らの自殺の本当の理由は分からないから、あまり意味はなかったかもしれないけど』

聡美はカルテ開示を俺の仕事に役立たせるためなどと言っていたが、そうではなかったのだ。あくまでも自分の計画の記念品として手元に置いておきたかったのだ。

芦屋秋宗は不良で、家族を含めた多くの人間に暴力を振るってきた。週刊クレールの記事によると、昏睡状態から目覚めたものの、彼には運動機能に障害が残ったという。もう他人に暴力を振るえるような状態ではなかったのだろう。芦屋秋宗は報復を恐れていたのかもしれない。もしかしたら、実際にかつて虐めていた者たちから復讐されたのかもしれない。それで人生に絶望して自殺をした。

小坂直人の場合も想像はできる。彼は横浜の山手に住んでいた。きっとエリートサラリーマンだったのだろう。長らく休職していたのだから、そのまま復職することは難しかったかもしれない。でも社会人なのだから、それくらいは仕方がないと諦める度量が小坂直人にもあったと考える。だが高次脳機能障害のせいで復職の目処がまったく立たなかったとしたら？　自殺の原因は将来の不安だけではない。もともとエリートだったのだから、プライドが許さなかったのだろう。

「芦屋秋宗が自殺した直後に、小坂直人が目覚めたのは偶然か？」

『でしょうね。ちなみに、小坂直人が自殺した直後に、入江和子が目覚めたのも偶然だと思うわ』

「そんな、いくらなんでも偶然が重なるなんて——」

そう言いかけて、俺は黙った。二度ある事は三度あるではないが、確かに偶然だったのだろう。いや、偶然そういう出来事が重なったから彼らは四度目を求めたのだ。

つまり俺を。

知里アシが府中脳神経外科の患者だったなどという嘘を彼らがついたのは、そうすれば精治が芦屋と小坂に接触したという筋書きが不自然なものではなくなると考えたからだ。だが、実際は知里アシや精治の存在を持ち出すまでもなく、芦屋三郎と小坂恵美の出会いのきっかけはあったのだ。

芦屋秋宗と同時期に小坂直人が府中脳神経外科に入院した。同じ症状ということで、芦屋夫婦と小坂恵美は顔なじみになった。電話で俺が小坂恵美の名前を出すと、静子は真っ先に男女の関係を疑った。もしかしたら心当たりがあったのかもしれない。もしそうだとしたら、静子が芦屋と別居に至った経緯により説得力が増すのは間違いないだろう。

「聡美」

と俺は言った。

「君は何をしたんだ？」

『別に――芦屋秋宗の次に小坂直人が目覚めたのが偶然なら、小坂直人の次に入江和子が目覚めたのも偶然ってだけでしょう』

「それはさっき――」

俺は思わず息を呑んだ。

「偶然じゃなかったのか？　入江和子が目覚めたのは？」

『偶然よ。小坂直人は自宅で首を吊って死んだ。深夜に首を吊って目覚めたのは朝だったから、死亡推定時刻には幅がある。これが入江和子みたいにはっきりと死亡推定時刻が断定できるような死に方だったら、もしかしたらあなたまでバトンは続かなかったかもしれない』

そんな偶然があるのだろうか、と考えたが、思えば死亡推定時刻がはっきりしているのは目撃者のいる入江和子だけだ。設定に矛盾が生じないように、次にバトンを渡す患者を選びだすのは、そう難しくはなかったのではないか。

死亡推定時刻と目覚めた時刻がほぼ一致しているのは入江和子と俺だけだ。正確に言うと俺の方が二十分ほど早く目覚めたが、同時とまでは言えなくとも、かなり近いと言っていいのではないか——。

そこまで考えて、俺は愕然とした。

何故、俺の方が先に目覚めたのか。

知里アシの魂が入江和子から俺に移動し、そのショックで入江和子は自殺した——確かにそういう筋書きは可能だ。だが入江和子が死んだから知里アシの魂が彼女から離れた、という筋書きの方が分かりやすいのではないか。

勿論こんなものは起こった事実を彼らの都合のいい様に認識するフィクションに過ぎないのだから、真面目に考えるのは意味がないのかもしれない。でも、フィクションを作り上げるために入江和子が自殺をしたとしたら。

つまり俺が目覚めてから、慌てて入江和子が自殺をしたとしたら。どんなに急いでも、その間二十分かかってしまったとしたら。

入江和子は昏睡状態から目覚めたが、やはり高次脳機能障害を抱えていた。しかし何事もなく日常生活を送れていた。それは知里アシの魂が入り込んでいたからだ。言わば、その時点で彼女は知里アシだった。だが俺が府中脳神経外科で目覚め、知里アシの魂は次の肉体として俺を選んだ。知里アシの魂から解き放たれた入江和子はもう普通の日常生活は送れない。高次脳機能障害に逆戻りだ。それに絶望した入江和子は団地の屋上から自殺した——。

その筋書きを俺に信じさせるため、いや信じなくとも成立させるために、入江和子が自ら命を絶ったとしたら。

俺の覚醒が確認でき次第、府中脳神経外科から聡美に連絡が行くようになっていた。聡美は医師で俺の元妻なのだから当然と言える。連絡を受け取った聡美が、すぐに入江和子に連絡し指示をしたとしたら。

つまり、目撃者が出るような形で自殺をしろと。

「入江和子を殺したのか？」

『何を言ってるの？　彼女は自殺よ。目撃者も大勢いる』

「じゃあ、何で俺が目覚めた直後に自殺をした？　自殺をするように仕向けたんじゃないか？　俺にバトンを繋げるために」

聡美は黙った。その沈黙は今までで一番長かった。

「芦屋と小坂は、芦屋秋宗の自殺と小坂直人の覚醒の間に関連性を見出していた。もちろんその時は二人だって半信半疑だったんだろう。小坂直人は退院して外来を受診した際にでも、そのことを主治医に話したんじゃないか？　本気だったのか、それとも冗談半分だったのか、それは分からない。とにかく彼のその考えは主治医を通じて君に伝わった。だから君は今回のアイデアを思いついた。もちろん俺が目覚めないまま死んでしまったら計画は無意味になるけど、別に構わない。だって元からお遊びのようなものなんだから」

暗示だ、そう思った。もう、それしか考えられない。

「入江和子のことを芦屋三郎と小坂恵美に教えたのも君だ。君の命を受けた二人は、それとなく入江和子に接触した。入江和子も高次脳機能障害だったんだろう。たとえ息子から家庭内暴力を受けていたとしても、夫と不仲だったとしても、やはり家族を自殺で失うのは寂しいし、また世間への体裁もあって辛かったんだろう。入江和子も自殺するべきだと二人が考えるようになったとしても不思議じゃない。次の患者が目覚めたら、あなたも自殺してしまうかもしれない、と会うたびに吹き込んだんじゃないか？　もともと芦屋秋宗と小坂直人のように高次脳機能障害で苦しんでいたんだろう。そこにきて自殺の連鎖の話を吹き込まれたら、本当に自殺してしまっても何もおかしくはない」

暗い日曜日。WHOのガイドライン。自殺した人間の身辺を調べると、近しい人間に自殺者がいるケースが多い。答えは最初っから出ていた。自殺は連鎖するのだ。

『私がそう仕向けたって言うの？　そんなことができると思う？』

「もちろん確実じゃない。でも狡猾な君にとって他人を操るのは造作もないことだ。しかも君は医師だ。普通患者や家族は医師に絶対の信頼を置く。俺だってそうだ。君を信頼し、酷い目に遭わされた」

『まだそれを言ってるの⁉』

突然、聡美が激高した。

『よく人のことを言えるわね。私の再婚をぶち壊しておいて！　そのせいで私は左遷されて、こんな山梨の病院でくすぶってる。あなたを恨んで当然でしょう⁉』

今度は俺が黙る番だった。それでも彼女との思い出の日々を吐き出すように、俺は言った。

「君はいつもそうだ。自分では手を汚さない。他人がそうするように仕向ける。もちろん君の言う通り、今回だって成功したかどうか分からない。でもそれで良かった。また次の機会に違う手を考えるだけだから」

それだけのことだった。

本当にそれだけの——。

「でもどうして霊能力者役として知里アシを選んだ？」

『それはもちろん、知里精治が殺されたからよ。もし精治があなたに接触したら、知里アシが霊能力者じゃないことはすぐに分かるから』

「そのために芦屋と入江は精治を殺したのか？」

『何言ってるの？　二人にはアリバイがあるわ。殺せる筈がない』

確かにそうだが――。

『多分だけど、精治を殺したのは知里百子ね』

「――え？」

知里百子。アトランティスの竹田杏菜の、北海道に住む友達の親戚。

「どうして？　どうしてそうなるんだ？」

『お葬式の席で暴れたって言っていたじゃない。その時、精治が殴ったのは夫の会社の上司よ。警察沙汰にはしなかったけど、その代わり百子の夫の出世の道は永久に断たれた。精治もそれが分かっているから、いたたまれなくなって東京に逃げたんじゃないかしら。知里アシが自殺したのも、もしかしたらそのせいもあったのかも』

そうだ。百子に精治が暴れた葬儀は何年の何月のことか訊いたが、そんな昔のことを覚えていないと言われた。確かに咄嗟には分からないかもしれないが、調べればすぐに分かるのではないか。聡美の言う事が本当なら、いつまでも覚えていても不思議ではない。

そう言えば杏菜は言っていた。

――百子さん。銀次郎さんのことを気にしていましたよ。どんな顔をしているのって？　写真を送ってくれとも言われました。

その時は気にもしていなかったが、彼女にしてみれば俺のような若い男に気があった、なんてものではなく、単純に自分の背景を探ろうとしているフリーライターを警戒しての台詞だったのではないか。写真が欲しかったのは、いざという時に俺を殺すために顔が知りたかったのかもしれない。考え過ぎ、と言い切ることはできないだろう。俺はある種の人々にしてみれば、知りたくない秘密を暴いて公にさらす、ハイエナのような人種だ。殺してでも口封じしたいと考える者は実際にいる。だから俺は府中脳神経外科で、長い間昏睡状態にあったのだ。

百子は饒舌だった。よくいるタイプのお喋り好きな女性だと思って気にもとめなかったが、やましいことがあるからかもしれない。それで我に返って、急に俺の質問を拒絶したのだ。

『もしかしたら、疎遠になっているという言葉を鵜呑みにして、警察も北海道の方はマークしていないのかもしれない。お葬式自体も十年ぐらい前のことだし、アリバイがなくとも警察は百子を疑わなかったのかも。国内線はいくらでも偽名がつかえるから、飛行機の記録も残らないだろうし』

百子との会話が脳裏に蘇った。

――でも、葬儀の席で暴れたんでしょう？　暴力を振るったとか。それを根に持っている人がいるかもしれない。

――私たちの中に犯人がいるって言うんですか⁉　どこにいるのか分からない精治さんを探し回って殺したと？　私たち、精治さんが東京に引っ越したってことも知らなかったんです！

知っていたのかもしれない。

精治は言っていたという、自分が殺されるかもしれないと。それは百子に恨まれていることを意味していたのか――。

「そもそも何故、芦屋と小坂は精治の住まいを訪れた？」

『私は知らないわ』

と聡美は嘯いた。だが想像することはできる。

芦屋は寂しかったのではないか。息子が死に、妻に去られた。小坂と親密にしていたふしは窺えるが、それも孤独を埋める為。芦屋は精治にシンパシーを抱いていた。何故なら二人とも静子という女に捨てられ、心に傷を負った男だからだ。

小坂を連れて行ったのも、深い意味はないのだろう。夫が自分の息子と同じ症状から回復したから、紹介したいという気持ちがあったかもしれない。だがそれは成されなかった。

「――とにかく、それで知里アシが霊能力者だという話をでっちあげたんだな。精治が自分たちにつきまとっていたなんて嘘までついて。でも当然、芦屋はすぐに警察に通報しただろう。警察につく嘘を考える余裕があったのかな」

『あるわけないじゃない。そもそも警察に嘘をついたって執拗に調べられるんだから、いつかボロが出るわ。精治にかんしては、二人は警察に本当のことを証言したんでしょう。知里アシの霊能力をでっち上げたのは、その後よ』

知里アシは、芦屋、小坂、入江、そして俺を繋ぐバトンだった。そのためだけに芦屋と小坂が用意したのだ。

『警察があなたの記事を読んだなら、芦屋と小坂による精治の説明が、警察にしたそれとは違うことが気になったでしょうね。オカルト記事なんか参考にしないかもしれないけど、もしかしたら裏を取るかも。もっとも今は芦屋も小坂も精治もいないから、裏の取りようもないか』

俺は五島と桐谷を思い出した。警察はフリーライターなどに捜査の情報は漏らさない。たとえ俺の書いた記事と現実の捜査に齟齬《そご》があったとしても、詳細は教えてはくれないだろう。

俺とて記事に事実の保証はなく、関係者の話をそのまま書いたとの一点張りだと嘯いたのだ。

だが、もしかしたら警察は俺の記事の事実とは違う部分に注視し、また新たな捜査を始めるのかもしれない。もしそのような局面を迎えることになったら、俺は五島と桐谷に感謝されても良いぐらいだ。

「入江太一は無邪気な男だった。知里アシの霊魂なんて胡散臭い話を簡単に信じただろう」

『無邪気な男、ね』

そう言って聡美は笑った。

「だが入江は、知里アシが府中脳神経外科の入院患者じゃないことを知り、芦屋と小坂を問い詰め、二人に殺されたんだ」

『まあ、そういうところでしょうね』

あまりにも簡単に聡美は言った。彼女にとって他人の命の価値などその程度のものなのだ。

「――入江は分からなくもない。でも芦屋と小坂は何故そこまでして、知里アシというバトンを、俺の元に繋げようとしたんだ？」

『私が彼らに言ったからよ。桑原銀次郎という男は一流の天才ライターだって。彼らはその嘘を簡単に信じたわ。でも実際そうなりかけているから、あながち嘘とは言えないかも』

「――どういうことだ？」

『分からない？　あなたはあのオカルト雑誌に記事を書いた。今度、あの週刊標榜で連載を始めるんでしょう。最終的には本になる。芦屋と小坂の計画は大成功したわ』

「じゃあ、あの二人は俺に本を書かせるために、オカルト話をでっち上げたのか！」

『そういうことになるわね』

　絶句した。言うべき言葉が見つからなかった。

「――どうして、そこまでして俺の仕事のお膳立てを」

『あの二人はお膳立てなんてしていないわ。府中脳神経外科にしてみれば、高次脳機能障害の患者なんて珍しくもないでしょう。だから患者が悲観して自殺してしまっても気にもとめない。府中脳神経外科を悪く言っている訳じゃないのよ。患者の一人一人に感情移入していたら、仕事なんかできないから』

　聡美もそうだ。

　だから自分のせいで、芦屋と小坂が入江を殺しても、何の良心も咎めないのだ。

『でも芦屋と小坂はそれが耐えられなかった。あなたの調査では秋宗は芦屋三郎に暴力を振るい、小坂恵美と直人の関係は破綻していたというけれど、だからといって芦屋と小坂が息子と夫の死を悼んでいなかったわけじゃないわ。彼らは自分の家族の死を、他の患者よりも価値のあるものにしたかったのよ。だからライターのあなたに目をつけた。あなたが目覚めて社会復帰した時に、自分たち家族のことを本にしてもらうために。そのためにはあなたが関心を持つような興味深い謎に包まれていて、記事として読んで面白いものでなければならない。だから知里アシを持ち出した』

「多分、知里アシには霊能力なんてなかったぞ。ただのオカルト雑誌好きの中年女だ」

聡美は笑った。

『それが何？　皆分かっているわよ。でもそれを楽しんで読むのが大人の態度よ。あんなオカルト雑誌に記事を書いたあなたには言わずと知れたことでしょうけど』

「でも——たかが記事を書いてもらうために、そこまで」

『たかが？　ネットの書店を覗いてみたらどう？　いろんな闘病記が売られているわ。そのほとんどが実店舗には並ばない自費出版本。そりゃ死んでしまった患者の家族は、その思い出を本にして残したいと思うでしょう。でも有名人でも何でもない人間が病気になって死んだからって、そんなものに商品としての価値があると？　病気自体が珍しいものだから売れる本もあるだろうけど、そんなのは本当に一握り。あの二人はそのことをよく分かっていた。だから芦屋秋宗と小坂直人の死に商品としての意味を持たせ、あなたに届けなければならない。そのための知里アシよ』

「でも——本当に綱渡りの計画だった筈だ。もし入江和子が自殺しなかったら？　もし俺が目覚めなかったら？」

『別に。ああ残念でしたね、でお終いよ。でもあの二人からしたら、別にあなたに拘《こだわ》る必要はないんだもの。あなたが死んだら別のライターを探す。それこそ直接あのオカルト雑誌に持ち込めばいい。入江和子が自殺しなかったら、府中脳神経外科で次に目覚めた患者に上手いこと繋げばいい。でももしそうなったら、私は完全に手を引いただろうけどね。だって私にとってはあなたでないと意味がないんだから』

どういうことだ——？　と訊くことはできなかった。狡猾な聡美は言質を取られまいとするだろうし、万が一素直に答えたら、それもまた辛い。

俺という毛糸の玉でじゃれる猫だ、聡美は。目的などないのだ。何だっていいのだ。山梨の病院での仕事の暇つぶしに、患者を操って、俺にちょっかいを出させる、ただそれだけの目的しかないのだ、聡美には——。

『女は灰になるまで女だっていうでしょう？　私はあなたを灰になるまで忘れないわ。いいのよ、こっちに来ても。抱かせてあげるわ。私もそうしてもらいたい。そしてあなたを殺したい』

全身を悪寒が走った。

俺はこんな女と結婚していたのだ。

もう二度とごめんだ。聡美を抱くのも。もちろん殺されるのも。もっとも聡美が自分で手をくだすことはないだろう。また他人を使って、俺が殺されるように仕向けるに違いない。

離婚したからこうなってしまったのか、それとも俺のせいで再婚が駄目になったからか。あるいは最初からこんな女だったのか。分からない。ただ俺は彼女が灰になる日まで、心の底から安心して眠ることはできないだろう。

『あなたとは長い付き合いになりそうね』

そう言って聡美は笑った。俺は何も言わずに電話を切った。

6

その後、芦屋と小坂の自殺遺体が樹海で発見された。

北海道ではなく、聡美の職場の近くを死に選んだことが、やはり黒幕が彼女であることを示唆しているように思えてならなかった。

遺書には、俺が書く記事の内容で言い争いになって入江を殺してしまったとあった。この期に及んでもすべてを俺に押し付けて死んでゆくんだな、と暗澹たる気持ちになった。

遺書の内容が内容だから、俺は山梨県警の刑事に質問責めにあったが、事実をありのままに話した。刑事は、山梨県の病院に俺の元妻が勤務していることに注目したが、彼らもそのことを知っているから樹海を死に場所に選んだんでしょう、という俺の説明に納得したようだった。そうでなくても樹海は自殺の名所なのだ。彼らの行動に不自然な点はなかった。

これもきっと聡美が仕組んだことなのだろう。聡美は何かの機会に何気なく樹海の話をしたのだ。だからいざという時になって、樹海で死ぬことに決めた。発見が遅れるから俺の書く記事が盛り上がるだろう、というぐらいは思っていたのかもしれない。芦屋と小坂は自分で考えて行動していると信じて疑わず、実際は最期まで聡美に操られて行動していた。

俺と同じだ。俺にはまだ最期はないが。

遺書には、どうかアトランティスに記事を書いてください、という俺宛へのメッセージもあった。つまり彼らはあの記事を読まずに死んだことになる。入江を殺したことは完全に予定外のトラブルだったのだろう。芦屋が殺してしまったのか、それとも小坂か。二人一緒に殺したとは考えづらい。だが二人は一緒に樹海で死を選んだ。やはり二人の間には特別な関係があったのだろうか。もしそうだった場合、夫を後世にまで語り継ぐなどという小坂の本来の目的は意味を成さなくなっていたのかもしれない。

ただ、小坂は芦屋に協力したかったから。

それにしても、彼らはオカルトのレッテルを貼られてまで、自殺した身内を世間に知らしめたかったのだろうか。普通なら、そっとしておいて欲しいと思うのではないか。でももしかしたら芦屋や小坂、そして入江も、自分の家族が高次脳機能障害に苦しんで自殺したなどと、世間に思われるのが嫌だったのではないか。だから知里アシを持ち出した。自分の家族は、そういう名前の不可思議な霊能力者によって自殺させられた、つまり完全に被害者であるという立場を、世間に打ち出したかったのではないか——今となってはどうにも分からないが。

知里百子が知里精治殺害の罪で逮捕される気配はなかった。聡美が言っていることだ。事実の保証はない。だがもし事実だとしたら、逮捕まで時間の問題だろう。五島も桐谷も焦っているようだった。そんな彼らが、葬儀の際に他の親族と喧嘩をした、などという分かりやすい話をみすみす見逃すはずはない。

最近海岸に立つ松の木の夢をよく見る。夢こそ暗示の産物だ。夢の中に何が出てこようと、幽霊の実証にはならない。芦屋秋宗や、小坂直人も海岸に立つ松の木の夢を見ていた。しかし、そんなものは当てにならない。芦屋三郎と小坂恵美が言っていることだ。どうせでっちあげなのだろう。だが入江和子は？　和子も松の木の夢を見たと入江は言っていた。それが嘘とは思えない。そして和子も入江に嘘をつく理由などないのだから、やはり和子は松の木の夢を見たのだと思う。それが彼女が芦屋や小坂と知りあった以降なら、何の問題もないのだ。彼らと会って暗示を受けて、夢を見た、という流れが成立するのだから。

でも、もし芦屋や小坂と会う以前から、そんな夢を見ていたのだとしたら？　どうだっただろう、と記憶を辿ってみる。思い出せなかった。思い出すことを拒否しているのかもしれない。取材のノートを見直せば、記載があるかもしれない。だが調べるのが怖かった。

もし、入江和子が何の暗示もなしに、松の木の夢を見ていたのだとしたら。

だからなんだ、そう自分に言い聞かす。暗示はいくらでもある。妻は『金色夜叉』など読まないと入江は言っていたが、読んだかもしれないし、海岸に立つ松の木というありふれた光景だ。テレビのドラマか何かで影響を受けたかもしれないではないか。そう――。

時々、夢の中の松の木では、知里アシの死体が風に吹かれて揺れている。お前も死ぬべきだ、そう訴えかけているような気がする。知里アシも、知里精治も、芦屋三郎も、芦屋秋宗も、小坂恵美も、小坂直人も、入江太一も、入江和子も、死んだ。なら俺と聡美も死ななければならない。そう思う。聡美は俺を殺したいと言っていた。なら俺も聡美を殺すべきなのだ。恋人だった頃を思い出し、身体を重ね、そして殺し合う。それが俺たち二人。今までも、そしてこれから先もずっと――。

この作品は書き下ろしです。原稿枚数436枚（400字詰め）。

彼女《かのじょ》が灰《はい》になる日《ひ》まで

浦賀《うらが》和宏《かずひろ》

平成27年12月5日　初版発行

発行人――石原正康
編集人――袖山満一子
発行所――株式会社幻冬舎
〒151-0051東京都渋谷区千駄ヶ谷4-9-7
電話　03(5411)6222(営業)
　　　03(5411)6211(編集)
振替00120-8-767643
印刷・製本―図書印刷株式会社
装丁者――高橋雅之

幻冬舎文庫

ISBN978-4-344-42414-2　C0193　　う-5-8

幻冬舎ホームページアドレス　http://www.gentosha.co.jp/
この本に関するご意見・ご感想をメールでお寄せいただく場合は、
comment@gentosha.co.jpまで。